Cynnwys

Rhagair

Mae'n dda gennyf gyflwyno cyfrol fy nghyfaill Gareth Owen am ei bod yn wahanol i'r arfer. Mae awgrym o hynny yn y teitl – *'Rhyw Lun o Hunangofiant'*. Gwyddom am ei arddangosfeydd nodedig sydd fel rheol yn gyfuniad o osodiadau a lluniau. Ond yn ogystal â bod yn ŵr y lluniau mae'n ŵr y gair mewn englyn a chywydd, ac yn ŵr y ddrama, yn cyfansoddi, actio, cynhyrchu a chynllunio setiau.

'Torri cwys fel cwys ei dad', Ifor Owen, a wnaeth Gareth ac mae'n cydnabod fod ei ddylanwad yn drwm arno: 'Roedd yn arlunydd penigamp ac roedd ei gariad at y ffordd Gymreig o fyw yn angerddol. Gall Cymreictod olygu rhywbeth gwahanol i bawb ond i mi a'm tad dyma beth oedd ac ydyw – yr iaith Gymraeg, yr eisteddfod, barddoniaeth, gwleidyddiaeth heddychol a diwylliannol gyda chysgod y capel dros y cwbwl.'

Bu Gareth yn gynllunydd i bump o sioeau Cwmni Theatr Maldwyn – *Y Mab Darogan, Y Cylch, Y Llew a'r Ddraig, Pum Diwrnod o Ryddid, Heledd ac Er Mwyn Yfory* yn Eisteddfod Genedlaethol Meirion 1997. 'Roedd yn fraint,' meddai, 'cael cydweithio gyda Penri Roberts, Linda Gittins a'r diweddar Derec Williams.'

Mae arddangosfa 'Cysgod y Capel' a ymddangosodd gyntaf yng Ngaleri Caernarfon yn nodweddiadol o'i waith ac mae'n disgrifio'i chynnwys fel a ganlyn. 'Fe blannwyd hedyn y syniad pan glywais Iwan Bala'n cyfeirio at y Safle Celf fel festri ... Mae llawer o eitemau'r arddangosfa ar yr olwg gyntaf yn eitemau y disgwyliwn eu gweld mewn festri capel ond trosiadau ydynt – y rhes pegiau lle mae dylanwadau wedi eu crogi arnynt, a'r cwpanau te hanner gwag neu hanner llawn... Mae'r delweddau'n ymdrin â chwestiynau mawr bywyd – ffydd, treigl amser, byrhoedledd, hunan ewyllys a natur gyferbyniol y greadigaeth.'

Yn arddangosfa 'LLAN UWCH LLYN' cafodd llawer o'i ddelweddau eu symbylu gan ymateb O. M. Edwards i'w fro: 'Pe bawn yn bagan, yr Aran fyddwn yn ei addoli'. Roedd llinell olaf englyn Alan Llwyd i Lanuwchllyn hefyd yn ganolog i lawer o'r delweddau: 'Wyt Rufain y pentrefi'.

Gallwn ddyfynnu sawl englyn da o waith Gareth ond rhaid bodloni ar un a luniodd i'r giât wen rhwng y Fron-goch a Chapel Celyn. Ysbrydolwyd ef gan hanes y giât yn nheyrnged Elwyn Edwards i'w daid R. T. Rowlands, un o feirdd y Tyrpeg. Roedd cytundeb rhwng R. T. a beirdd eraill – un bardd i ysgrifennu llinell gyntaf ar y giât a thri arall i'w gwblhau bob yn llinell. Gresyn colli'r giât a'r llu englynion oedd arni pan foddwyd Cwm Celyn.

Y Glwyd Wen
Yno, boddwyd celynnen – fe wyddom,
  Ond foddwyd mo'r awen,
  Ac ar lwybr oer y lloeren
  I'w gweld o hyd mae'r glwyd wen.

Fel athro nodedig yn ysgolion Rhydfelen, y Berwyn a'r Creuddyn, ysbrydolodd Gareth nifer fawr o ieuenctid sydd bellach yn artistiaid o fri. Ysbrydolodd ffurf unigryw adeilad Ysgol y Creuddyn ef i lunio cywydd i ddathlu chwarter canrif yr ysgol. Dyma'r rhan sy'n cloi'r cywydd:

Ai enfys wedi ei hanfon
Yn obaith i'n hiaith yw hon?
Ai heulwen wedi'r dilyw?
Ai sicrwydd, ai arwydd yw
Fod awr y newydd wawrio
Yn ei rwysg yn lliwio'r fro?

Wrth ddiolch i Gareth am ei gyfrol ysblennydd gwn y cewch fel finnau eich cyfoethogi gan y llun a'r gair o'i mewn.

W. J. Edwards

Cyflwyniad

Bûm yn meddwl yn hir am deitl i'r llyfr hwn. Deuthum i'r casgliad mai rhyw lun o hunangofiant ydyw. Mae'r chwarae ar eiriau'n amlwg gan mai delweddau gweledol yw'r prif gynnwys. Mae'r adran gyntaf serch hynny yn rhyw fath o wibdaith hunangofiannol gyda'r bwriad o daflu rhywfaint o oleuni ar fy nhaith gelfyddydol.

Dyma fynd ati felly i geisio llunio rhyw lun o hunangofiant i mi fy hun gan ddefnyddio fy ngwaith celf. Tybiaf fod fy nelweddau'n cynnig eu hunain i'r fath orchwyl oherwydd maent yn ddieithriad bron yn ymwneud â'm cefndir a'm magwraeth mewn cymdeithas anghydffurfiol Gymreig. Mae'r cysyniadau sydd y tu cefn i'r delweddau'n seiliedig ar safbwyntiau crefyddol, cymdeithasol a gwleidyddol sy'n deillio'n uniongyrchol o gymdeithas 'Y Pethe'. Oherwydd natur fyrhoedlog llawer o'm delweddau mae cyfrol fel hon yn rhoi cartref delfrydol iddynt i'w rhoi ar gof a chadw.

Fe ddywedodd Pablo Picasso unwaith – 'Dim ond ffordd arall o gadw dyddiadur yw peintio'.

Hunan bortread

Mae'r ddelwedd hon yn adleisio plât llyfr Syr O. M. Edwards a gynlluniwyd gan J. Kelt Edwards. Yn y plât gwreiddiol amgylchynir O. M. Edwards â delweddau a gynrychiolai ei ddiddordebau. Y lleoliad, yn ôl y ffenestr hardd ar Aran yn y cefndir, yw ei lyfrgell yn ei gartref yn Neuadd Wen. Gallaf uniaethu â'r ddelwedd hon oherwydd yn y Gwyndy, sef rhan o Neuadd Wen, y treuliais lawer iawn o'm cyfnod ffurfiannol.

Rhyw LUN o Hunangofiant
Gareth Owen

Rhyw LUN o Hunangofiant

Gareth Owen

i Nonna

Argraffiad cyntaf: 2017
ⓗ testun a lluniau: Gareth Owen
Dylunio: Eleri Owen

Cyhoeddwyd gyda chymorth Cyngor Llyfrau Cymru

Rhif llyfr rhyngwladol: 978-1-84527-612-6

www.carreg-gwalch.com

Dechrau'r Daith

Ar y trydydd o Orffennaf 1915 ym Mhentref Tai'n y Cwm, Cefnddwysarn, ger y Bala, ganwyd babi bach ar ddiwrnod cneifio, a'r babi bach hwnnw oedd fy nhad Ifor Owen. Ddeng mlynedd ar hugain yn ddiweddarach fe'm ganwyd innau ar yr un dyddiad, sef y trydydd o Orffennaf 1946. Byddwn yn tynnu coes fy nhad yn aml gan ei atgoffa mai fi oedd y presant pen-blwydd gorau a gafodd erioed. Cofiaf yn aml pan oeddwn yn blentyn anghrediniaeth fy ffrindiau o'r ffaith fy mod yn cael pen-blwydd ar yr un diwrnod â nhad; taerent y buaswn yr un oed â fo petai hynny'n wir.

Yng Nghroesor y cefais fy ngeni, wrth droed y Cnicht, ac roedd Bob Owen Croesor yn y llofft hanner awr wedi i mi gael fy ngeni, neu dyna ddywedodd fy mam wrthyf. Does gennyf i fy hun ddim prawf o hynny wrth gwrs.

Roedd fy nhad a'm mam bryd hynny'n bobol ifanc afieithus llawn gobaith am y bywyd teuluol oedd i ddod. Mae'n anodd weithiau dychmygu eich rhieni yn bobl ifanc gyda'u bywyd o'u blaenau, ond pan oeddwn yn rhoi sgwrs i gymdeithas capel ym Mhenrhyndeudraeth un tro, deuthum ar draws boneddiges oedd wedi bod yn ddisgybl i fy nhad yng Nghroesor. Cefais fy syfrdanu pan ddywedodd ei bod yn casáu fy mam, ond er mawr ryddhad i mi aeth ymlaen i egluro. Arhosai plant yn hirach yn yr ysgol gynradd bryd hynny ac roedd merched hyna'r ysgol yn hanner addoli eu prifathro ifanc; ond un diwrnod daeth rhyw ffliwsen ifanc o Gaer i Groesor i ymweld â'r prifathro, a chyn bo hir roedd wedi ei phriodi. Peth ofnadwy yw cenfigen; fy mam oedd y

ffliwsen ac mae'r gweddill yn hanes.

Yn 1948, symudodd fy rhieni i Wyddelwern lle bu fy nhad yn brifathro am bum mlynedd a hanner. Yn naturiol, bychan iawn oeddwn i, ac nid wyf yn cofio dim am y symud, ond yng Ngwyddelwern mae fy atgofion plentyn cynharaf. Yn ôl y sôn, dechreuais fy addysg yn gynnar iawn oherwydd roedd ein cartref newydd y drws nesaf i'r ysgol ac roedd hi'n hawdd iawn i mi bicio draw i'r ysgol pan oeddwn yn ddim o beth.

Roeddwn yn ymwybodol yn gynnar iawn o gysylltiad fy nhad a'm mam â Chroesor oherwydd byddai Bob Owen Croesor yn dod i aros atom yn achlysurol pan fyddai'n darlithio yng nghyffiniau Gwyddelwern. Roedd ei ymarweddiad tanllyd a'i fwstásh anferth, a edrychai'n fwy fyth gyda rhimyn o laeth gwyn ar hyd ei odre wedi iddo gael bara llaeth gan fy mam, yn siŵr o greu argraff ar blentyn bach.

Cofiaf hefyd gael reid yn seidcar motor-beic fy nhad. Bu fy nhad fel llawer un o'i genhedlaeth yn berchen ar fotor-beic pan oedd yn ifanc a bu'r motor-beic dan orchudd yn y wash-house am flynyddoedd wedi iddo orffen ei ddefnyddio. Does ryfedd fod llawer o gyfoedion fy nhad yn deall beth oedd yn mynd ymlaen dan fonet car; byddent yn aml yn tynnu eu motor-beics yn ddarnau ac yn eu rhoi'n ôl wrth ei gilydd.

Wrth edrych yn ôl byddaf yn rhyfeddu at y pethau y byddem ni'r plant yn cael eu gwneud yn y dyddiau lle nad oedd ond ychydig iawn o ymwybyddiaeth o faterion iechyd a diogelwch.

Y Cnicht
Manylun Er cof am fy nhad *allan o brosiect 'Tri yn Un'*

Dreifar trên oedd fy nhaid ar ochr fy mam a byddai'n gwibio gyda'i express drwy orsaf Gwyddelwern yn aml. Clywaf mam yn dweud, 'Mae taid yn pasio heibio cyn bo hir, dos i'r stesion i godi llaw arno.' Byddwn yn sefyll ar y platfform a taid yn gwibio heibio gan daflu clytiau mawr a ddefnyddiai i lanhau'r injan allan i mam, a minnau'n eu codi i fyny wedi i'r stêm glirio. Wrth feddwl yn ôl, roedd hon yn weithred mor beryglus nes gwneud i mi amau weithiau a yw'r stori'n wir, neu ai ffrwyth fy nychymyg yw hi. Tybed a oedd yna lygaid yn fy ngwylio heb yn wybod i mi?

Dros y ffordd i'r tŷ ysgol roedd cae chwarae, ac yno byddai fy arwyr cyntaf yn chwarae pêl-droed ym mhersonau Gwilym Ceiriog ac Elfyn Prichard. Cafodd Elfyn dipyn o sioc pan ddaeth draw i siarad i gymdeithas yn Eglwysbach dros chwe deg mlynedd yn ddiweddarach pan gyflwynais ef fel fy arwr. Doeddwn i ond yn bedair oed ar y pryd, cofiwch.

Yn Ionawr 1954 symudodd fy nhad i fod yn brifathro Ysgol Gynradd Llanuwchllyn, ac erbyn hyn roedd gennyf frawd a chwaer sef Dyfir a Meilir. Cofiaf fy niwrnod cyntaf yn iawn. Roedd eira wedi disgyn a phan gyrhaeddais yr ysgol roedd pawb wrthi'n chwarae yn yr eira; pawb ond un, hynny yw. Roedd Trefor y Wern wedi cael caniatâd i aros i mewn wrth y tanllwyth tân oedd yng nghornel ystafell ddosbarth Miss James.

Bu Miss E. V. James yn athrawes yn Llanuwchllyn am 37 o flynyddoedd a dyma ddywed fy nhad amdani yn nyddiadur yr ysgol ar ei hymddeoliad ar Ragfyr 7fed 1974:

"... bu'n athrawes benigamp, ymroddgar a ffyddlon gan ennyn ymddiriedaeth plant a rhieni fel ei gilydd. Ymdaflodd i waith yr ysgol a'r ardal o'r cychwyn cyntaf a bu'n gefn i'r holl athrawon eraill ac yn gymorth amhrisiadwy i'r prifathro. Gweithiodd yn ddiflino gyda'r Urdd yn yr ysgol a threfnodd yr Ymgyrch Gwerthu Llyfrau Cymraeg am flynyddoedd - o'r cychwyn yn wir, gan symbylu gwerthu tua 20,000 o lyfrau Cymraeg yn ardal Llanuwchllyn."

Roedd Miss James yn uchel iawn ei pharch gan genedlaethau o blant yr ardal. Mae symud ysgol i blentyn yn gallu bod yn brofiad trawmatig ond gwnaeth Miss James i mi deimlo'n gartrefol. Ni chofiaf chwaith gael unrhyw drafferth gan blant eraill oherwydd bod fy nhad yn brifathro, ac roedd hynny'n rhannol oherwydd agwedd fy nhad. Hoffai fy mam adrodd y stori am fy nhad yn marcio rhyw brawf neu'i gilydd a minnau trwy ryw ryfedd wyrth yn cael y marciau uchaf. Penderfynodd fy nhad fy marcio i lawr ryw 'chydig fel nad oeddwn ar dop y rhestr; dyna beth oedd doethineb.

Mae'n rhyfedd y pethau mae rhywun yn ei gofio o gyfnod ei blentyndod. Un o'r atgofion cynharaf sydd gennyf i o'r ysgol yn Llanuwchllyn oedd cael fy nghyflwyno i air newydd. Roeddwn wrth y bwrdd cinio a dyma un o'r gweinyddesau'n dod ataf ac yn gofyn a oeddwn eisiau 'rhagor'; meddyliais yn syth mai enw ar fath o bwdin oedd 'rhagor'.

Cael ei benodi'n brifathro Ysgol O. M. Edwards wnaeth fy nhad ac nid oedd yr ysgol newydd yn barod pan symudon ni fel teulu i Lanuwchllyn. Roedd yr ysgol yn yr hen adeilad sydd nawr yn neuadd bentref. Cofiaf ar ddiwrnod agor yr ysgol newydd orymdeithio ar hyd y pentref o'r hen ysgol i'r ysgol newydd. Adeilad newydd sbon oedd Ysgol O. M. Edwards, ac roedd yn rhaid i ni'r plant wisgo pumps du rhag i ni farcio'r lloriau o deils marley oedd â marciau yn dynwared marmor arnynt.

Ni fu'r adeilad newydd heb ei drafferthion, gyda phethau fel y teiliau yn cael eu chwythu oddi ar y to a llifogydd yn y neuadd yn achosi i'r llawr blociau pren chwyddo a chodi i fyny fel bryncyn. Doedd ond

Daw'r ias o'th wneuthur drosof, ni rewodd
Y rhewynt mo'r atgof,
Di-huno'r mebyd ynof
Wna'th lwybrau yng nghaeau'n nghof.

Caseg Eira
Allan o brosiect 'Gair a Llun'. Mae caseg eira bob amser yn dod ag atgofion plentyndod yn ôl i mi.

Daw'r ias o'th wneuthur drosof, ni rewodd
Oer rewynt mo'r atgof,
Dihuno'r mebyd ynof
Wna'th lwybrau yng nghaeau 'nghof.

angen storm i achosi i ffenestri'r neuadd ollwng dŵr. Ffoniodd fy nhad y swyddfa addysg ynglŷn â hyn a daeth rhyw swyddog ifanc draw i asesu'r sefyllfa. Gofynnodd a gâi fenthyg tun samwn gwag o'r gegin. Llanwodd y tun â dŵr a'i daflu yn erbyn un o'r ffenestri gan ddweud, 'Maen nhw i weld yn dal y dŵr yn o dda Mr Owen.' Edrychodd fy nhad yn syn arno, gan ddweud, 'Drychwch yma ŵr ifanc, dydi stormydd ddim yn dod mewn tuniau samwn ffor' hyn.'

Yn yr ysgol hon roeddwn i dreulio fy nghyfnod ffurfiannol ac mae dylanwad y cyfnod hwn yn gryf arnaf. Mae'n rhaid cyfaddef nad wyf yn cofio'r cyfnod yn ei holl fanylder ac mae'n destun syndod i mi sut mae rhai pobl mewn oedran mawr yn cofio pob munud o'u plentyndod. A yw hi'n bosibl fod yr atgofion yn dod yn ôl wrth i rywun fynd yn hŷn? Amser a ddengys. Ar ddathliad yr ysgol yn hanner cant oed fe luniais soned ar gyfer yr achlysur. Mae'r gerdd yn crynhoi fy nheimladau am fy nghyfnod yn

yr ysgol ac yn adlewyrchu'r math o addysg a gefais yno. Nid yw'r syniad o 'Gwricwlwm Cymreig' yn beth newydd, yn enwedig ymysg addysgwyr goleuedig.

Ti drodd ein milltir sgwâr yn fyd mawr crwn
  Pan redem hyd dorlannau'r Twrch a'r Lliw,
Roedd gaeaf fel yr hafau yn ddi-bwn
  A bwrlwm nant yng ngh'lonnau ffrindiau triw,
Plymiem i'r dŵr a chwalu Coed y Pry
  Oedd ar i waered yn ei wyneb clir,
A gwybod roeddem ni mai dyma dŷ
  Yr un y gwnest i'w freuddwyd ddod yn wir.
Ni wyddem ni wrth chwarae yn y coed
  Mai arf dy ddysg oedd cefnlen hen ein plwy;
Rŷm nawr fel ti yn llyn ein canol oed,
  A bwrlwm nant yn ddim ond atgof mwy
Ond dal i deimlo wnawn dy gerrynt di,
  Fel afon ddofn yn rhedeg trwom ni.

Rhodio

Manylyn o osodiad yn y prosiect 'Llanuwchllyn'

Treuliais lawer iawn o'm plentyndod ar lan yr afon, yn plymio i mewn i Lyn Cob a chwarae cowbois ar lethrau Garth Bach. Tybed, unwaith eto, heb yn wybod i ni, fod llygaid ein rhieni yn ein gwylio? Caf y teimlad, serch hynny, ein bod ni blant y pentref yn gyfrifol am greu ein hadloniant ein hunain. Cofiaf Wncwl David (brawd fy mam) yn ymweld â ni ym mis Awst ac yn rhyfeddu atom ni'r plant yn dechrau casglu sbwriel ar gyfer noson tân gwyllt. Byddem yn cadw'r sbwriel mewn adfail o gwt yng nghefn Bro Aran.

Mae'n bwysig pwysleisio mai plant y Llan oeddem a bod gan blant y Pandy eu tân gwyllt eu hunain bryd hynny. Mae dwy ran i bentref Llanuwchllyn – y Llan a'r Pandy. Un flwyddyn cafwyd rhybudd fod plant y Pandy ar fin dod dros y bont yng nghanol y pentref (pont Llan) i gasglu sbwriel i'r Llan. Cofiaf i ni blant y Llan greu baricêd ar y bont i'w rhwystro. Dyna beth oedd plwyfoldeb ar ei buraf. Pan ddeallais fod fy nhad a mam yn bwriadu symud o hen dŷ'r ysgol yn y Llan i'r

Gwyndy, oedd yn y Pandy, nid oeddwn yn rhy hoff o'r syniad ar y dechrau.

Mae'n rhaid bod plant y Llan a'r Pandy wedi cymodi yn ddiweddarach oherwydd cefais brofiad go annymunol yn paratoi at goelcerth tân gwyllt un Tachwedd. Ar un cyfnod câi'r goelcerth ei hadeiladu ar ben bryn uwchben y Singrid ac roedd hi'n dipyn o ymdrech i gael y sbwriel i fyny. Roeddwn wrthi'n bustachu yn y tywyllwch gyda'm ffrindiau yn gwthio cert heibio i nant fechan a redai o dan y ffordd, a syrthiais i mewn iddi nes gwlychu at fy nghroen. Ar achlysuron fel hyn y cwbwl mae rhywun eisiau yw ei fam. Gwyddwn fod fy mam yn y seiat a rhedais yr holl ffordd i festri capel Glanaber a thorri ar draws y cyfarfod gan weiddi, 'Mam, dwi wedi gwlychu!'

Os ydw i'n cofio'n iawn, y Parchedig S. O. Hughes oedd y gweinidog ar y pryd. Pan oeddwn yn byw yn Eglwysbach yn ddiweddarach, deuai i bregethu yno ac un o'i hoff straeon i egluro gwahanol deithiau ysbrydol pobl oedd am y ddau hogyn bach yn cerdded adref o'r ysgol, un wedi bod yn cerdded mewn glaw mân heb ei gôt a'r llall wedi syrthio i'r afon, ond y ddau yn wlyb domen yn cyrraedd adref. Tybed a heuwyd y syniad am y stori hon yn ei feddwl pan gerddais i mewn i'r festri y noson honno? Gyda llaw, roedd y Parchedig S. O. Hughes yn uchel iawn ei barch ymysg hogia'r pentref, ond efallai fod a wnelo'r ffaith ei fod wedi bod â ni yn gweld Everton yn chwarae pêl-droed yn erbyn Fulham rywbeth â'r peth.

Os oedd noson tân gwyllt yn noson bwysig yn ein calendr ni'r plant, roedd dyfodiad pabell eisteddfod y Llungwyn yn un arall. Am ryw reswm mae arogleuon fel pe baent yn glynu yn y cof. Mae'r cymysgedd o arogl cynfas a phorfa yn dal yn fyw iawn i mi. Roedd rhyw gyffro yn yr awyr wrth i ni chwarae yn y babell fawr cyn i'r cadeiriau gael eu gosod.

Mae'n siŵr y gall pawb feddwl am ambell i sefyllfa a achosodd embaras llwyr iddynt - wel, fe ddigwyddodd fy un i pan oeddwn yn hogyn mewn cysylltiad ag Eisteddfod y Llungwyn. Wrth edrych yn ôl y caf y teimlad o gywilydd ond ar y pryd yn fy meddwl bachgennaidd doedd gen i ddim dewis. Tycio i mewn i salad ham yn y neuadd bentref yr oeddwn pan ddaeth neges dros yr uchelseinydd yn galw'r parti cerdd dant bechgyn i'r llwyfan. Mewn panig llwyr gadewais fy salad ham ar ei ganol a rhedeg hyd y pentref i faes yr eisteddfod a cherdded ar y llwyfan pan oedd y parti ar ganol yr ail bennill. Nid oeddwn hyd yn oed yn aelod anhepgorol o'r parti; rhyw dipyn o 'basenjer' oeddwn i, yn dueddol i feimio ar adegau.

Mae'n rhaid cyfadde mai chwarae tu allan o gwmpas y rhaffau fyddem ni blant yng nghyfarfod yr hwyr, gan bicio i mewn i weld y cadeirio gan fod y ddefod bob amser yn dipyn o hwyl. Byddaf yn meddwl weithiau, tybed beth oedd ambell i fardd diarth oedd wedi ennill y gadair yn ei feddwl am yr holl rialtwch, oherwydd yn ôl pob ymddangosiad nid oedd y beirdd lleol o'i amgylch yn cymryd y pethau o ddifrif. Un peth a ddigwyddai'n gyson o flwyddyn i flwyddyn pan fyddai'r Parchedig Huw Jones y Bala (Huw Bach) yn arwain ac yn gofyn am heddwch oedd fod y beirdd yn dal y cledd yn rhy uchel iddo gael gafael ynddo. Byddai hyn yn achosi bonllefau o chwerthin o du'r gynulleidfa.

Er fod hon yn noson hwyr i ni blant, rhaid oedd codi'n gynnar y bore wedyn i fynd yn ôl i faes yr eisteddfod i chwilio'n obeithiol yn y borfa rhwng y rhesi cadeiriau rhag ofn fod pobl wedi colli arian yn y gwair.

Roedd y Llungwyn hefyd yn arwydd fod yr haf

o'n blaenau. Mae'n ymddangos, boed hynny'n wir neu beidio, fod hafau fy mhlentyndod yn rhai hirfelyn tesog. Cyrchfan boblogaidd oedd Llyn Cob, ac yno byddem yn nofio. Llyn oedd hwn a grëwyd i gyflenwi dŵr i'r pwerdy trydan. Roedd y llyn o dan Goed y Pry (cartref O. M. Edwards). Eto, rwy'n gresynu ein bod yn blant ifanc iawn yn cael penrhyddid i fynd i nofio mewn mangre mor anghysbell, yn enwedig gan fy mod erbyn hyn yn daid ac wedi troi'n swyddog diogelwch dros nos.

Ond nid yn Llyn Cob y dysgais nofio; digwyddodd hynny pan gefais fy nghodi gan don yng ngwersyll Llangrannog un ha'. Rhaid cyfaddef mai teimladau cymysg sydd gennyf am Langrannog. I ddechrau, roedd yn gythreulig o bell ac roedd Aberystwyth ar y trên yn teimlo fel pen draw'r byd, heb sôn am y daith fws wedyn ar hyd ffyrdd gwledig Ceredigion. Un tro mi gefais bwl ofnadwy o hiraeth, gymaint felly fel yr es gyda cheg gam at y pennaeth Ifan Isaac i ddweud hynny. Y pnawn hwnnw cymerais ran mewn gêm rygbi a chefais far o siocled am fod y *man of the match* gan neb llai na Charwyn James ei hun. Tybed oedd gan fy ymweliad â'r pennaeth yn gynharach rywbeth i wneud â'r peth? Yn rhyfeddol, fe ddiflannodd yr hiraeth. Pan oedd clwb pêl-droed Llanuwchllyn yn dathlu ei hanner canfed yn 2007 fe wnes rywbeth dewr iawn, sef cyfaddef fy mod wedi teimlo hiraeth yn Llangrannog pan oeddwn yn fachgen, ac fe agorodd hynny'r llifddorau – cyfaddefodd mwy nag un o'r hogiau mawr cyhyrog o amgylch y bwrdd eu bod hwythau hefyd wedi cael yr un profiad.

Profiad arall rwy'n ei gysylltu â gwyliau haf yw mynd ar wyliau gyda'm cefnder Eirwyn Pentre i Brook Hall, fferm tu allan i Gaer, lle roedd fy nhaid J. F. Owen yn ffarmio. Does gen i ddim cof cael hiraeth yn y fan honno. Symudodd fy nhaid o bentref Cefnddwysarn, ardal ddiwylliedig Gymreig ym mynydd-dir Sir Feirionnydd, lle bu'n ymddiddori yn y 'Pethe', i fod yn feiliff ar fferm ar lawr gwlad ger Caer. Mae'n siŵr fod hyn wedi bod yn sioc ddiwylliannol iddo. Rwyf wedi dyfalu lawer gwaith beth oedd yr union gymhelliad iddo symud ond mae'n siŵr iddo gael cynnig na allai mo'i wrthod – tŷ modern newydd sbon a thir ffrwythlon ar lawr gwlad Sir Gaer.

Mae'r symudiad yn fwy o syndod o ystyried ei fod yn Gymro i'r carn ac yn genedlaetholwr digymrodedd (pan nad oedd hynny'n ffasiynol). Roedd Taid a Nain yn fynychwyr selog ysgolion haf cynnar Plaid Cymru. Mae'n debyg hefyd nad oedd ei ymlyniad i ardal Cefnddwysarn gymaint â rhywun a fyddai wedi ei fagu yn yr ardal, oherwydd yn Lerpwl y magwyd Taid, ac fe aeth i'r môr yn ifanc gan hwylio o Borthmadog i lefydd pellennig fel Gwlad Groeg a Newfoundland. Yn ei henaint, dyma'r cyfnod oedd fwyaf byw yn ei gof. Mae'n debyg fod rhyw enyn symudol yn perthyn iddo, rhywbeth yr ydw i, efallai, wedi'i etifeddu. Er symud o ardal y 'pethe', ni chefnodd ar Gymreictod; bu ef a'i ferch Edna (Anti Edna) yn hoelion wyth y diwylliant Cymraeg yng Nghaer am flynyddoedd lawer - yn bennaf drwy eu hymwneud ag aelwyd yr Urdd.

Roedd Anti Edna'n byw gyda Taid a Nain, a hi oedd rhan o'r apêl o fynd i aros i Brook Hall. Roedd bob amser yn barod i chwarae gyda ni. Byddem wrth ei boddau'n chwarae troeon trwstan â hi a byddai hithau bob amser yn chwarae'r gêm wrth gwrs. Un o'n hoff driciau oedd rhoi celyn yn ei gwely, hyd syrffed iddi hi, mae'n siŵr. Hithau'n gweiddi dros y tŷ yn ddramatig i gyd wrth fynd i'r gwely ac Eirwyn a minnau'n cael modd i fyw.

Roedd Taid hefyd yn gwybod sut i'n diddanu tra'n diddanu ei hun yn ogystal, a dyma efallai lle roedd ei gefndir trefol yn amlygu ei hun. Hoffai fynd â ni i'r pictiwrs ac i weld Caer yn chwarae pêl-droed. Roedd ganddo'r arferiad pan oeddem yn ymlwybro drwy'r dorf, rhag ofn iddo fy ngholli, o roi ei fys rhwng fy ngwar a choler fy nghrys ac rwyf yn dal i allu teimlo bys mawr garw'r ffarmwr i lawr fy nghefn.

Roedd Eirwyn Pentre a minnau'n ffrindiau go iawn – doedd Eirwyn ddim ond wyth mis yn hŷn na fi – ac fe gawsom ambell i anturiaeth ar fferm Brook Hall. Gwaetha'r modd, 'dyw'r digwyddiad sy'n aros fwyaf yn y cof ddim yn un dymunol iawn a 'tase pethau wedi troi allan yn wahanol ni fuaswn yma heddiw i ysgrifennu hyn o lith. Chwarae yn y 'sgubor yr oeddem, ac roedd cist flawd yno a thair rhan iddi, a'r rhannau ond yn brin ddwy droedfedd o led. Rwy'n cofio trafod tybed faint mor dywyll fyddai tu mewn i'r gist, a dyma benderfynu darganfod drosom ein hunain. Mewn i'r gist â ni (y ddau ohonom i'r un adran) gan geisio cau'r caead yn ofalus, neu felly y tybiem. Yn sydyn dyma glic, a syrthiodd y gliced i lawr. Doedd dim modd agor y caead; roeddem yn gaeth yn y gist. Rwy'n ein cofio ni'n dau'n gweiddi a gweiddi am help, does wybod am ba hyd, ond y cwbwl rydw i'n ei wybod yw ein bod wedi rhoi fyny'r ewyllys erbyn i was y fferm gyfagos ddod i mewn i'r 'sgubor i chwilio am Taid a chlywed sŵn anadlu trwm yn dod o'r gist. Agorodd gaead y gist a'n canfod ni'n dau rhwng cwsg ac effro. Y cwbwl oedd gennyf yn fy mhoced oedd marblen werdd a chofiaf ei chynnig i'r gwas yn rhodd fel arwydd o'm gwerthfawrogiad.

Y noson honno roedd fy nhad a'm mam wedi dod draw o Gaer lle roeddent yn aros gyda fy nhaid a'm nain arall (Taid a Nain Hoole) ac mae'n amlwg fod yr oedolion wedi penderfynu peidio sôn dim am y digwyddiad anffodus gyda'r gist oherwydd roedd yr holl beth wedi gwneud Taid yn swp sâl. Roedd pawb yn dawedog o gwmpas y bwrdd ac mae'n siŵr fod Eirwyn fy nghefnder yn methu deall pam nad oedd neb yn sôn am y profiad erchyll a gawsom, achos yng nghanol y distawrwydd dyma fo'n troi at fy mam a dweud, 'Anti Wini, roedd hi'n ofnadwy yn y gist 'ne.'

Treuliai Eirwyn a minnau lawer o amser yng nghwmni ein gilydd, nid yn unig gyda Taid a Nain yn Brook Hall ond byddwn yn mynd ato i chwarae i Pentre yn aml. Fel y soniais ar y dechre, Pentre oedd cartref y teulu ar ochr fy nhad, ond erbyn fy mhlentyndod, Wncl Gwyn, brawd fy nhad, oedd yn ffermio yno. Mae gennyf atgofion melys iawn am Pentre. Roedd yna rialtwch a sŵn chwerthin yno bob amser a phan oeddwn yn blentyn roeddwn yn meddwl fod gan bawb yn Pentre lygaid a chlustiau da. Pan oedd hi'n nosi, ni fyddai'r golau'n cael ei roi ymlaen nes oedd hi fel bol buwch, ac fe glywai teulu'r Pentre fodur yn troi yng ngheg y ffordd filltiroedd i ffwrdd, ac roedd y cyfan yn dipyn o syndod i mi. Rwy'n dal i fwynhau ymweld â'r Pentre oherwydd rwy'n cael y teimlad cynnes o draddodiad a pherthyn, ond, ysywaeth, i weld Nerys, gweddw Eirwyn, y byddaf yn mynd bellach, ac mae ei chroeso hi mor gynnes ag erioed. Fe gollodd Eirwyn y frwydr yn erbyn y clefyd creulon motor neuron ac mae hiraeth ar ei ôl.

Mae rhan o gywydd ei gyfaill mynwesol, y diweddar Gerallt Lloyd Owen, er cof amdano yn dweud y cwbwl.

Y pennaf o'm cwmpeini,
Eirwyn oedd fy ffefryn i
Eirwyn a'i wên fel hen haf
ac Eirwyn yr hawddgaraf.

Roedd gennyf daid a nain o'r ddwy ochr yn byw yn ardal Caer. Roedd Taid a Nain ochr fy mam yn byw mewn rhan o Gaer a enwir yn Hoole. Taid a Nain Hoole oeddent i ni ac roeddwn yn hoffi mynd i aros atynt hwythau hefyd ond am resymau hollol wahanol. Roedd Caer yn ddinas fawr wrth gwrs a phan oeddwn yn ddigon hen doedd dim byd gwell gennyf na mynd i grwydro'r dref ac i lawr at lan afon Ddyfrdwy. Cofiaf syllu ar y dŵr a meddwl tybed ai hwn oedd y dŵr y daliwn frithyll bach mewn jar ynddo yn ôl yn Llanuwchllyn?

Cysylltaf aros gyda Taid a Nain Hoole gydag arogleuon hefyd. Ond nid arogl cynfas a phorfa y tro hwn ond cymysgedd o brint papur newydd a sglodion. Byddwn yn cael fy nanfon i nôl sglodion ac yn cerdded yn ôl gyda'r bag dan fy ffroenau drwy cefnau'r tai neu'r entries fel yr oedd Nain a Taid yn eu galw. Byddai'n braf cael gweld Taid yn agos, oherwydd ef oedd y ffigwr anhysbys yr oeddwn yn hanner ei weld drwy'r stêm wrth iddo ruthro heibio gorsaf drenau Gwyddelwern.

Eglwys John Street oedd capel Taid a Nain Hoole a Taid a Nain Brook Hall fel ei gilydd, a dyna sut daeth fy nhad a'm mam ar draws ei gilydd, a phriodi yno maes o law. Roedd modd byw eich bywyd yn gyfan gwbwl yn y Gymraeg yng Nghaer bryd hynny fel yn llawer o ddinasoedd y gororau a chanolbarth Lloegr. Os oedd rhywun yn gweithio yng Nghaer, yna roedd yn rhaid byw yn y ddinas oherwydd nad oedd cyfleusterau teithio cystal â heddiw. Dyna pam fod cymaint o lewyrch ar gymdeithasau'r capeli ac aelwyd yr Urdd. Rwy'n synnu wrth gyfarfod pobl o ryw oedran arbennig, faint ohonynt sydd â rhyw berthynas ag Aelwyd Caer ac yn cofio gweithgarwch diflino fy nhaid ac anti Edna.

Braf oedd cael dod yn ôl adref i Lanuwchllyn er

cymaint oedd mwyniant gwyliau'r haf. Wedi'r cyfan, does unman yn debyg i gartref. Rwy'n teimlo'n ffodus iawn fy mod wedi cael fy magu mewn pentref ac ardal mor arbennig. Dyma ddywed neb llai na Syr O. M. Edwards: 'Mae i Lanuwchllyn air ym mysg y plwyfydd fel magwrle arweinwyr ymhob da.'

Yn rhyfeddol, gellir honni fod hyn yn wir am Lanuwchllyn heddiw ar ddechrau unfed ganrif ar hugain. Mae yna bobl adnabyddus ac enwau cenedlaethol yn trigo yn Llanuwchllyn heddiw mewn meysydd megis cerddoriaeth (clasurol, traddodiadol a modern), celf weledol, llenyddiaeth (awduron, nofelwyr a beirdd), a gwleidyddiaeth.

Gorwedd Llanuwchllyn ar wastatir ger Llyn Tegid a rhwng dau fynydd hardd, yr Aran a'r Arenig. Rwy'n dweud hardd yn awr, ond cofiaf wrth dyfu i fyny yn Llanuwchllyn fy mod mor gyfarwydd â'r ddau fynydd fel na allwn i benderfynu a oeddent yn hardd ai peidio. Dyna pam rwyf mor hoff o gerdd Euros Bowen i'r Arenig lle mae'n cyfeirio at y ffaith ei fod wedi cynefino â'r Arenig.

Mae cynefino â rhywbeth yn golygu yn aml ein bod yn colli'r gallu i sylwi. Enghraifft ddiweddar o hyn oedd gweld darlun a osododd Rhys Mwyn ar un o'r cyfryngau cymdeithasol. Yn y llun roedd darlun o ffenestr gyda brics melyn bwaog uwch ei phen ac oddi tano y sylw, 'nodweddiadol o dai Llanuwchllyn'. Er fy magu yn Llanuwchllyn ni sylwais erioed ar hyn ond nawr rwyf yn eu gweld ym mhob man.

Er y cynefino roeddwn yn ymwybodol iawn fod gan Lanuwchllyn nifer fawr o leoliadau nodedig ac roedd y diolch am hynny i'r addysg a dderbyniais yn Ysgol O. M. Edwards a diddordeb fy nhad mewn hanes lleol. Awn ar daith ar hyd y pentref gan ddwyn i gof rai hanesion bore oes a mynd ar ôl ambell 'sgwarnog.

Arenig

Allan o brosiect 'Llanuwchllyn'. Mae'r ddelwedd yn y canol yn cynrychioli'r mynydd cyfarwydd a'r gweddill pan wrthododd fod yn fynydd.

Ar y ffordd i mewn i'r pentref mae giât y fynwent newydd. Fy nhad gynlluniodd y giât, a seiliodd ei chynllun ar emyn Williams Pantycelyn.

Ffydd, dacw'r fan, a dacw'r pren
Yr hoeliwyd arno D'wysog nen
Yn wirion yn fy lle:
Y ddraig a sigwyd gan yr Un,
Cans clwyfwyd dau, concwerodd un
A Iesu oedd Efe.

Yng nghanol y giât mae'r Crist croeshoeliedig ac ar un ochr mae'r ddraig a sigwyd ac ar yr ochr arall ehêd colomennod allan o'r bedd agored, fel symbolaeth o oruchafiaeth Crist dros farwolaeth.

Yn y fynwent hon hefyd y claddwyd fy mam a'm tad. Dyma englyn a weithiais i'w osod ar garreg fedd fy mam:

> Mam fedrus ddawnus oedd hi, ei haelwyd
> A'i theulu'n fyd iddi,
> Wrth ei bodd yn ymroddi
> Yn ein hynt a'n helynt ni.

Collais fy mam yn llawer rhy gynnar i'r clefyd motor neuron a bu'n rhaid i fy nhad addasu'n arwrol i ofalu amdani yn ystod ei blynyddoedd olaf o ystyried nad oedd gwaith tŷ'n un o'i gryfderau nac yn un o'i amrywiol ddiddordebau. Bu hithau cyn ei llesgedd yn gefn iddo yn cynnal yr aelwyd. Roedd hefyd fel rhyw fath o ysgrifenyddes bersonol i 'nhad, yn sicrhau ei fod yn cofio am hyn a'r llall. Gallaf ei chlywed yn dweud, 'Wyt ti'n cofio Ifor, dy fod ti wedi gaddo cynllunio clawr i lyfr Tecwyn Lloyd?', neu 'Wyt ti'n cofio am y daith hanesyddol rwyt yn ei harwain yn y Bala ddydd Sadwrn nesaf?', neu 'Wyt ti'n cofio fod yn rhaid danfon yr Hwyl i'r wasg erbyn fory?'.

Roedd fy nhad Ifor Owen yn ddyn cyhoeddus iawn, ac ar ei garreg fedd mae'r geiriau 'Arlunydd, Hanesydd, Gwlatgarwr'.

> Bu'n cynnal ei ardaloedd, dyn y blaid
> Dyn i blant y cyhoedd,
> Yn arwr i laweroedd,
> Ar yr alwad yn dad oedd.

Heb fod nepell o'r fynwent mae cofeb Syr O. M. Edwards a'i fab Syr Ifan ab Owen Edwards, sylfaenydd yr Urdd, a gynlluniwyd gan Jonah Jones, ac yn briodol iawn fel cefnlen iddynt mae cerfwedd garreg yn dangos Cymry ieuainc yn trin coeden ein diwylliant, a thu hwnt i hynny wedyn, Ysgol O. M. Edwards.

Ymlaen â ni nes cyrraedd Tŷ'r Ysgol. Dyma lle bu O. M. Edwards yn gwisgo'r Welsh Not am siarad Cymraeg. Tybed, oni bai iddo ddioddef y fath sarhad, a fyddem wedi gweld ei lafur enfawr dros y Gymraeg? Yma hefyd yr ymgartrefom ni gyntaf wedi i ni symud o Wyddelwern. Hyd yn oed bryd hynny roedd yn dŷ pur sylfaenol. Roedd ganddo estyniad hir unllawr yn y cefn a'r slabiau cerrig ar y llawr - yn wir roedd yn ddigon hir i mi ddysgu reidio beic yno. Roedd ffenest fy llofft yn wynebu'r ffordd, a chofiaf ddeffro un noson a waliau'r llofft i gyd yn goch – roedd y garej betrol ar dân. Yma hefyd y dychrynodd fy mam un tro pan welodd ddyn diarth yn sefyll ar ganol y stafell fyw. Roedd wedi camgymryd Tŷ'r Ysgol am Dafarn yr Eagles drws nesaf.

Ie, mae Tafarn yr Eryrod, neu'r 'Regls' yn nhafodiaith yr ardal, drws nesa'. I mi a'm ffrindiau roedd y broses o raddio i gael peint yn y Regls yn un hir a phoenus. Ar nos Sadwrn, Tafarn y Gwernan ar lethrau Cader Idris oedd y gyrchfan boblogaidd. Apêl y Gwernan oedd ei fod mor anghysbell a bod y posibilrwydd y gallai rhywun eich gweld, neu'n waeth fyth, ddweud wrth eich rhieni, yn fychan iawn. Wedyn, dod yn fwy mentrus a chael peint yn y Bala nes yn y diwedd fentro i'r Regls. Cofiaf yn iawn fod y ffaith nad oeddwn yn hollol onest â fy rhieni ynglŷn â lle roeddwn yn treulio fy amser ar nos Sadwrn yn pwyso ar fy meddwl. Daeth pethau i ben pan ddois adref un noson yn eithaf hwyr (wedi cael ychydig bach yn ormod) ac y gofynnodd fy nhad imi a oeddwn wedi cau'r giât. Yn ddiamynedd, trois ar fy sawdl a mynd allan i'w chau, ond ar fy ffordd yn ôl fe es ar fy mhen i goeden binwydden. Yn ôl fy chwaer Dyfir, oedd yn sylwedydd distaw i'r holl ddrama, roedd fy wyneb wedi imi ddychwelyd i'r tŷ wedi'i orchuddio â dail bychan pîn. Y tro yma gofynnodd fy nhad ble roeddwn wedi bod, a dyna pryd y gwnaeth y llifddorau agor. 'Dwi wedi bod yn y Regls,' meddwn, 'a dwi wedi blino dweud clwyddau wrtha chi.' Roedd pen fy chwaer yn ei dwylo erbyn hyn ac ni fu llawer o Gymraeg rhyngof a'm rhieni y noson honno. Y bore wedyn, sylw fy mam oedd, 'Dwi byth eisiau gweld y Gareth yna eto'.

Cyn cyrraedd Capel Glanaber, croesi pont y Llan dros Afon Ddyfrdwy a safle'r baracêd tân gwyllt ers talwm gan ofyn y cwestiwn unwaith eto – a fydd y dŵr yn afon Dyfrdwy fawr yng Nghaer ryw ddydd. I fod yn fanwl gywir, nid yw capel Glanaber yno bellach. Mae gennyf atgofion melys am y lle ac mae ei ddylanwad yn gryf arnaf er efallai fod hynny yn anodd i'w gredu o ystyried fy hanesyn blaenorol am y Regls.

Glanaber

Roedd cloc Glanaber y tu ôl i'r pulpud, a gwnaeth ambell i bregethwr y sylw mai cloc ar gyfer y gynulleidfa ydoedd. Mae'n rhaid cyfaddef fod bysedd yr hen gloc yn symud yn reit araf yn ystod ambell i bregeth, ond roedd gennyf ambell dric i gyflymu'r amser. Un oedd gwneud portreadau pensil o'r gweinidog ar dudalennau plaen ym mlaen a chefn y llyfr emynau. Mae cywilydd gennyf gyfadde, ond roedd gennyf ddefnydd arall i'r bensil - roedd y gŵr drwg yn talu ymweliad hyd yn oed â'r capel weithiau – gosodwn y bensil rhwng bysedd Dyfir fy chwaer a'u gwasgu at ei gilydd nes byddai'n gwingo.

Hyd yn oed fel plant deuem yn gyfarwydd ag arddull traddodi gwahanol weinidogion a sylwi bod rhai ohonynt yn ailadrodd dywediad yn aml. Byddai un gweinidog yn pwyso 'mlaen ar y pulpud ac yn dweud, 'meddyliwch'. Roeddem wrth ein boddau'n cyfri faint o weithiau y gwnâi hynny yn ystod y bregeth. Roeddwn yn mwynhau mynychu'r ysgol Sul a fyth ers hynny rwyf wrth fy modd gyda thrafodaethau o bob math. Roedd gennym athro arbennig iawn yn Ap Morris Jones.

Ychydig i fyny'r ffordd mae Garth Gwyn lle roedd Dafydd Iwan yn byw pan oedd yn fachgen ysgol. A gallaf uniaethu'n llwyr â'i gân 'Cân yr Ysgol'. Bûm innau'n mynychu Ysgol Tŷ Tan Domen yn y Bala a chael 'lessyns history, lessyns geography ... o hyd ac o hyd', ac ar y Sul 'mynd i'r capel oedd fy mraint'. O ie! Mi oeddwn innau'n mynd i'r coed, ond wna i ddim ymhelaethu ar hynny yn y fan hon.

Mae Llanuwchllyn am hawlio darn bach o Dafydd Iwan hefyd; y bachgen a dyfodd i fod yn un o'r ffigyrau pwysicaf yn natblygiad cenedlaetholdeb Gymreig, oherwydd iddo ddefnyddio hiwmor, arf mor effeithiol, yn ei frwydrau amrywiol dros ein hiaith a'n diwylliant.

Brawd bach Dafydd Iwan oedd Alun Ffred a ddaeth yn Weinidog Treftadaeth yn y Cynulliad Cenedlaethol maes o law. Treuliodd Alun Ffred flwyddyn yn aros gyda'm rhieni i orffen ei addysg yn Ysgol y Berwyn wedi i'w rieni symud o'r ardal i Pencader.

Y Pethe

Allan o brosiect 'Gair a Llun'. Fe godais un bore oer a gweld ffens yr ardd gyda gwe pry cop yn llenwi pob rhan o'r strwythur. Fe welwn strwythur y ffens fel trosiad o'r 'pethe' sy'n dal cymunedau gwâr wrth ei gilydd a'r wê fel unigolion unigryw o fewn y cymunedau hynny.

Y neuadd bentref sydd nesaf ar y daith, neu yr hen ysgol cyn sefydlu Ysgol O. M. Edwards. Un o nodweddion bywyd pentrefol yw'r ffaith fod pob oedran yn rhan o bob gweithgaredd cymdeithasol. Yn y neuadd bentref, roedd pa ran o'r adeilad roedd rhywun yn eistedd ynddi'n dibynnu'n llwyr ar eich oedran. Pan fyddech yn ifanc iawn byddech yn eistedd gyda'ch mam a'ch tad yng nghorff y neuadd cyn symud i lawr i'r rhesi blaen at y plant hŷn. Wedi dechrau yn yr ysgol uwchradd, graddio i eistedd ar y silffoedd ffenestri i lawr ochr y neuadd ac yn eich arddegau gorffen yng nghefn y neuadd lle roedd perffaith ryddid i fynd a dod o'r 'coed'. Oherwydd natur sefydlog y gymdeithas yn Llanuwchllyn roedd y cylch yn dechrau eto i lawer, gan ddechrau eto yng nghorff y neuadd gyda phlentyn bach ar eu gliniau.

Ryw ganllath o'r neuadd bentref mae Mynwent y Pandy lle mae porth a giât arbennig a gafodd ei chynllunio gan R. L. Gapper er cof am O. M. Edwards sydd wedi ei gladdu yno. Rwy'n hoff iawn o gerdd Euros Bowen, Mynwent y Pandy, o gofio fod y giât wedi ei gosod ychydig yn ôl o linell flaen y tai sydd oddeutu iddi.

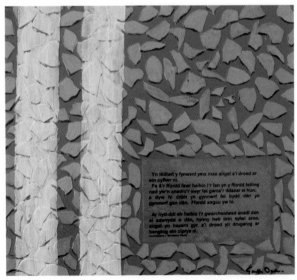

Mynwent y Pandy

Mynwent y Pandy – Allan o brosiect 'Gair a Llun' Mae'r ddwy linell felen yn atgyfnerthu'r ffaith na all neb aros yno.

Awn heibio i Station Road am funud a chyrraedd pont sy'n croesi Afon Twrch. Gwelir olion yr hen bont ychydig yn is i lawr. Ysgubwyd yr hen bont ymaith gan lif mawr 1781. Hoffai fy nhad adrodd hanes Sally Jones o'r Bala y bu ond y dim iddi gael ei 'sgubo i ffwrdd gyda'r bont mewn llif mawr. Doethineb ei merlyn a wrthododd groesi'r bont a'i hachubodd. Pe bai wedi mynd gyda'r llif a boddi ni fuasai Thomas Charles wedi dod i'r Bala i'w phriodi ac ni fuasai gennym 'Charles o'r Bala'. Mae'n siŵr fod hon yn un o'r storïau bywyd 'petai a phetase' gorau sydd i'w chael.

Yn ôl nawr i Station Road, neu Stesion Rôd ar lafar lleol. Bu cryn amser cyn i mi ddod i sylweddoli mai Saesneg oedd Stesion Rôd, ac mae'r ffordd yn arwain i'r Stesion wrth gwrs. Ar y trên y byddem yn mynd i'r ysgol ac roedd hynny'n dipyn o antur ynddo'i hun. Wagenni heb goridor oedd yn ein cludo ac unwaith roeddem i mewn yn un o'r adrannau, yno y byddem. Weithiau mi fyddai sgarmes yn digwydd a rhai ohonom oedd ddim yn rhan o'r ffeit yn dringo i ben y rac rhwydi i gael grandstand view fel petai. Roeddwn yn fachgen da yn yr ysgol, am fod gennyf, mae'n debyg, gydymdeimlad â'r athrawon oherwydd fod fy nhad yn brifathro; ond cofiaf unwaith fod mewn rhes o blant Llanuwchllyn o flaen y prifathro. Ein trosedd oedd ysgrifennu'r geiriau 'Plaid Cymru' yn y llwch ar ochr y trên – sôn am ddiniwed. Ychydig o fanylion rwy'n eu cofio am Ysgol Tŷ Tan Domen, dim ond 'lessyns yn inglish o hyd ac o hyd, ac ambell i lessyn yn Welsh chware teg, am mai Cymro bach oeddwn i'. Rwy'n cofio i mi ddewis Ffrangeg yn lle Celf yn fy ail flwyddyn. 'Sgwn i oedd y ffaith fod Ffrangeg yn cael ei ddysgu yn ysgol y merched yn rhywbeth i wneud â'r peth? Beth bynnag fe sylweddolais fy nghamgymeriad ac fe es

yn ôl at gelf – maes a fyddai'n ganolog i 'mywyd ar hyd fy oes.

Roeddwn yn dygymod yn eitha da â'r rhan fwyaf o'r pynciau ar wahân i Fathemateg. Mae'n debyg mai arna i roedd y bai, ond gallaf gofio un peth a ddysgais ac rwy'n dal i wneud defnydd ohono, sef cadw fy nghwmpawd yn ddiogel. Dysgwyd fi yn y flwyddyn gyntaf gan neb llai na'r Prifardd James Nicholas, ac fe'i cofiaf yn dweud wrth gyflwyno'r cwmpawd i ni, 'Ystyriwch y pigin peryglis hwn, dorwch gorcin arno fe'.

Gorffennwn ein taith drwy Lanuwchllyn yn y Gwyndy. Hwn oedd y tŷ y symudon i fyw iddo o Hen Dŷ'r Ysgol yn y Llan. Rhan o Neuadd Wen, tŷ hardd a adeiladodd O. M. Edwards iddo'i hun, oedd y Gwyndy. Byddai 'nhad yn ein hatgoffa'n aml mai yn rhan y morwynion roeddem ni'n byw. Yma i bob pwrpas y tyfais i fyny. Roedd iddo ardd helaeth oedd yn lle delfrydol i chwarae a chicio pêl. Bu'n rhaid i'm tad yng nghanol ei brysurdeb drwsio ffenestri'r washws lawer gwaith. Dylwn bwysleisio yma mai troed fy mrawd Meilir oedd tarddiad y bêl ddinistriol y rhan fwyaf o'r amser. Anodd credu ei fod wedi gwneud tipyn o enw iddo'i hun ym myd pêl-droed drwy gynrychioli ei wlad yn nhîm Amatur Cymru.

Yng nghanol fy arddegau cefais brofiadau amrywiol o waith yn ystod gwyliau'r haf. Roeddwn wrth fy modd yn gweithio yn Fferm y Goat ac yn meddwl fy hun ar y tractor. Doedd dim byd tebyg i godi'n fore a thanio'r tractor gydag arogl TVO yn llenwi'r awyr ffres. Byddwn yn gwnuead pob math o orchwylion ar y tractor fel torri ysgall, hel silwair (yn y glaw bryd hynny) a rhencio cae gwair. Roeddwn yn arbennig o hoff o rencio'r cae gwair ar gyfer ei felio – sôn am weld ôl eich gwaith! Bûm hefyd yn gweithio yn Hufenfa Meirion.

Roedd hwnnw'n waith digon diflas ar y cyfan er bod y gwmnïaeth yn hwyl. Fy ngwaith oedd trosglwyddo poteli o'r belt cario i gratiau. Byddwn yn codi pedair potel ar y tro ac erbyn diwedd yr haf gallwn weld ffurfiau topiau'r poteli rhwng fy mysedd. Gorchwyl arall oedd glanhau tanciau'r lorïau llaeth drwy fynd i mewn iddynt yn fy wellingtons â phibell ddŵr a dod allan yn wlyb domen. Rwy'n cofio un bore yn arbennig yn 1966 pan oeddwn yn cychwyn i'r gwaith pan ddaeth newyddion ar y radio fod Gwynfor Evans wedi ennill sedd Caerfyrddin. Mae'n rhaid nad oedd mawredd y sefyllfa wedi fy nharo'n iawn nes i mi fod hanner ffordd i lawr llwybr yr ardd pan daflais fy mhecyn bwyd i'r awyr mewn gorfoledd. Roedd y cyfan fel pe bai'n digwydd mewn slow motion gyda'r caead, y bocs a'r cynnwys yn chwalu i bob cyfeiriad nes disgyn yn wasgaredig ar y llwybr. Yn fy mrys cesglais y cwbwl i fyny ond treuliais fy amser cinio'n poeri cerrig mân oedd ym menyn fy mrechdanau. Mae'n siŵr i'r profiadau hyn gadarnhau fy awydd i fynd i goleg. Ond wrth edrych yn ôl roeddynt yn brofiadau gwerthfawr i rywun na fu wedi hynny allan o fyd addysg weddill ei oes.

Pan oeddwn yn fy mlwyddyn gyntaf y chweched dosbarth gwnes gais i Goleg Celf Lerpwl a danfonais fy ngwaith wedi eu mowntio ar ddarnau mawr o galedfwrdd. Does gen i ddim cof am sut y cawsant eu danfon ond wedi'r holl ymdrech cefais fy ngwrthod. Mae'n rhaid bod fy siomiant yn amlwg a chydag anogaeth fy mam danfonais fy ngwaith i Goleg Celf Caerdydd a chael fy nerbyn ar droad y post heb gyfweliad na dim. Rhoddodd hyn y symbyliad i mi ymdrechu i gyflawni fy nghwrs celf Safon A mewn blwyddyn, ac felly fu. Wrth edrych yn ôl rwy'n synnu bod fy rhieni wedi caniatáu i mi adael yr ysgol hanner ffordd drwy fy Safon A

oherwydd gadewais Gymraeg a Daearyddiaeth ar eu canol. Beth bynnag, roedd cyfnod newydd o'm blaen ac yn 1965 yn ddwy ar bymtheg oed gadewais gartref am y ddinas fawr ddrwg.

Pa ffordd?
Allan o brosiect 'Tonnau'
Hoffai fy nhad adrodd yr hanes amdano'n cael dau ddewis wrth adael y coleg – mynd i Clacton on Sea neu'n brifathro i Groesor. Ei ddewis oedd Croesor wrth gwrs. Mynd i goleg Celf Caerdydd yn hytrach na Choleg Celf Lerpwl oedd fy 'Nghlacton on Sea' i.

GADAEL
LLANUWCHLLYN

DYCHWELYD I
LANUWCHLLYN

Coleg ac yn ôl i'r Ysgol

Cyn cychwyn ar fy nhaith gyntaf i'r coleg gyda fy mam a'i ffrind Anti Dorothy yn gwmni, rhaid oedd galw heibio'r ysgol i ffarwelio â'm tad. Clywais ymhen amser wedyn ei fod wedi mynd yn ôl i'w swyddfa a cholli deigryn - doedd 'nhad ddim yn un oedd yn gwisgo'i deimladau ar ei lawes. Cofiaf fy chwaer Dyfir a minnau yn ein dagrau yn darllen un o'i ddyddiaduron wedi ei farwolaeth, lle roedd yn datgan cymaint roedd yn ein caru ni fel teulu. Fyth ers hynny rwyf wedi penderfynu cyhoeddi'n achlysurol yng ngŵydd fy nheulu fy mod yn eu caru. Ystyrir hyn yn dipyn o hwyl ond rwy'n meddwl yn ddistaw bach eu bod yn gwerthfawrogi.

Roedd fy mam wedi cysylltu â gweinidog Capel y Crwys i ofyn iddo a allai gymeradwyo llety i mi. Mae'n rhaid ei bod yn awyddus i mi gael dechrau da. Mrs Lenon oedd enw fy landlady, ac yn hanu o Gwm Twrch. Ei chyfarchiad cyntaf i mi oedd, 'Ichi'n moin disgled o de?' ac meddwn innau, 'Dim diolch, fe wnaiff paned y tro'. Wedi i mam ac Anti Dorothy fynd mae'n rhaid cyfadde i mi gael yr un hen deimlad ag a gefais flynyddoedd ynghynt yn Llangrannog. Wedi'r cwbwl, pan oeddech yn gadael cartref bryd hynny roeddech yn gadael am wythnosau lawer; doedd cyfleusterau trafnidiaeth ddim cystal â heddiw.

Fel y gallwch ddychmygu, roedd cael fy nhrawsblannu o ardal y 'Pethe', nid yn unig i ddinas fawr yng nghanol y chwedegau ond i goleg celf o bob man, yn dipyn o sioc i'r system. Ystyrir y chwedegau fel degawd lle roedd yr ifanc yn gwrthryfela yn erbyn awdurdod a lle datblygwyd diwylliant o gymryd cyffuriau. Dywedir, os yw rhywun yn cofio'r chwedegau, yna doedden nhw ddim yno – ond gallaf ddwed â llaw ar fy nghalon na welais na phrofi'r diwylliant hwnnw yn ystod pum mlynedd yn y Coleg Celf. Doeddwn i ddim yn angel o bell ffordd, cofiwch. Mae gennyf ryw frith gof canu drwy'r meic mewn rhyw glwb nos, 'Rhyw greadur bach o ffarmwr ydwyf'.

Roedd yn rhaid magu croen caled yn fuan iawn yn y Coleg Celf neu fe ellid yn hawdd fynd dan y don fel a ddigwyddodd i lawer person ifanc oedd yn dod wyneb yn wyneb â beirniadaeth am y tro cyntaf. Roedd cael eich darnio a'ch beirniadu o flaen eich cyfoedion yn anodd iawn dygymod ag o, yn enwedig a chithau pan oeddech yn ôl gartref wedi bod yn torheulo yn heulwen canmoliaeth, yn ennill cystadlaethau celf mewn eisteddfodau, yn cael llwyddiant yn arholiadau safon A, a'r teulu a phawb yn rhyfeddu at eich dawn. Cofiaf unwaith i mi ddewis gwneud astudiaeth o ddreser fy mam fel gwaith cartref pan oeddwn gartref dros hanner tymor. Yn ôl yn y coleg roedd yn rhaid i ni arddangos y gwaith a phan ddaeth Tom Hudson, Cyfarwyddwr Astudiaethau'r coleg, heibio, ei sylw, cyn cerdded i ffwrdd, oedd - 'Welsh trash'. Diolch i'r drefn fod pethau wedi symud ymlaen erbyn hyn; ni feiddiai wneud y fath sylw heddiw. Ac mae'r cysyniad o 'Gelf Cymreig' wedi hen ennill ei blwy'.

I fod yn deg, ar wahân i'r digwyddiad anffodus hwnnw, roedd Tom Hudson yn eangfrydig iawn mewn agweddau eraill a dylanwadodd yn gryf arnaf. Roedd yn arloeswr ym myd addysg celf, a

Palmant
Allan o brosiect 'Gair a Llun'.
Cyfeirir yma at y dywediad
'llithro ar balmant y dref',
ond hefyd mae'n ymdriniaeth
chwareus â'r syniad mai twyll
yw pob darlun naturiolaidd.

seiliwyd ei syniadau addysgol ar lyfr Herbert Read, 1943, Education through Art. Daethai i gysylltiad â'r artist Victor Passmore a greodd gwrs sylfaenol wedi'i ysbrydoli gan gynllunwyr enwog y Bauhaus yn yr Almaen ar sail yr egwyddor o gynllunio sylfaenol, sef cael y myfyrwyr i edrych o'r newydd ar beth yw celf drwy ymarferiadau mewn ffurf, gwagle, gwead, llinell a lliw. Fel myfyriwr roeddwn i'n rhan o'r chwyldro hwn ond erbyn canol y saithdegau aeth y math yma o ddulliau addysgu allan o ffasiwn. Mae llawer o'r colegau wedi parhau i arddel systemau heb strwythur pendant gan annog trefn o wneud beth bynnag rydych eisiau ei wneud. Er hynny, arhosodd y syniad o greu cyrsiau strwythuredig gyda mi drwy fy ngyrfa fel athro celf ac ymgynghorydd celf wedi hynny. Er na fabwysiadwyd dulliau Tom Hudson yn eu crynswth, fel pob chwyldro go iawn roedd ei ddylanwad yn bellgyrhaeddol ac ni fu addysg celf fyth 'run fath wedyn. Rhoddodd fy nghwrs coleg y gallu i mi werthfawrogi amrywiaeth eang o gelf a sylweddoli bod creu delweddau'n gallu bod yn weithred amgenach na dynwared y byd o'n cwmpas.

Mae'n destun syndod i mi pam fod cymaint o bobl o hyd, o feddwl eu bod wedi cael eu cyflwyno i wahanol fathau o gelfyddyd yn yr ysgol, bob amser yn defnyddio llinyn mesur naturiolaidd i

werthfawrogi darn o gelfyddyd. Mae'r wasg Gymraeg am wythnosau ar ôl yr Eisteddfod Genedlaethol yn llawn o ymatebion negyddol i natur cysyniadol y gelf a welir yn y 'Lle Celf'. Rwy'n deall nad yw'r gelf efallai at ddant pawb a pheth cymeradwy iawn yw bod yn onest ynglŷn â beth mae rhywun yn ei hoffi, ond mae llawer o'r llythyrau'n taflu amheuaeth ar ddidwylledd yr artistiaid. Er mwyn i'r drafodaeth barhau'n ystyrlon, mae'n rhaid derbyn didwylledd yr artistiaid.

Roeddwn yn byw dau fywyd cyfochrog pan oeddwn yn y coleg, sef y bywyd celfyddydol a'r digwyddiadau oedd yn gysylltiedig â'r Coleg Celf ond hefyd, fel bachgen o Lanuwchllyn, roeddwn yn gwneud ymdrech i chwilio am gyfleoedd i gynnal fy Nghymreictod. Byddwn yn mynychu'r ysgol Sul a'r oedfaon yng Nghapel y Crwys, ymweld â Thŷ'r Cymry yn Richmond Road i wrando ar ddarlithoedd, ac ymuno â'r Gym Gym (Cymdeithas Gymraeg y Brifysgol) ac Aelwyd yr Urdd lle deuthum i gysylltiad â Gwilym Roberts, y Cymro bytholwyrdd o Gaerdydd. Byddai Gwilym yn gwneud ymdrech arbennig i wneud i newydd-ddyfodiaid i'r ddinas deimlo'n gartrefol. Cofiaf fynd i de i'w gartref yn weddol fuan ar ôl i mi gyrraedd Caerdydd a mynd am dro wedyn ar hyd mynydd Caerffili a chyfarfod â bachgen ifanc pengoch a ofynnodd i mi yn acen Caerdydd, 'Wyt ti'n perthyn i'r Blaid?' Owen John Thomas oedd y gŵr ifanc a ddaeth ymhen amser yn aelod o'r Cynulliad. Byddwn yn cymdeithasu gyda Chymry eraill mewn mannau fel y New Ely a'r Conway.

Roedd diwedd y chwedegau'n amser cyffrous i'r ifanc yn gyffredinol ar draws y byd lle roeddent yn gwrthryfela yn erbyn cyfundrefnau'r status quo. Cafodd y duedd hon ei hefelychu yng Nghymru drwy ymgyrchoedd Cymdeithas yr Iaith. Bûm yn rhan o lawer i brotest, yn amrywio o feddiannu stiwdio deledu i beintio'r holl arwyddion ar drosffordd newydd Gabalfa. Er mai gwyrdd oedd y paent, roedd gwleidyddiaeth yn ddu a gwyn bryd hynny. Ychydig a wyddai fy nghyd-fyfyrwyr a'r darlithwyr yn ôl yn y coleg fy mod yn gwneud math arall o beintio yn fy amser hamdden. Y cwbwl a wyddent hwy oedd fy mod ychydig bach yn wahanol – rhyw foi bach o'r gogledd oedd yn gallu siarad rhyw iaith ryfedd, a hynny ym mhrifddinas fy ngwlad fy hun.

Does yna 'run gair yn cyfleu'n iawn y syniad o yn Gymraeg. Yn y geiriadur awgrymir enwau megis allanwr, dieithryn a dyn dŵad ond does 'run yn gwneud y tro rywsut. Beth bynnag am hynny, roeddwn yn teimlo'n dipyn o outsider yn y coleg celf – nid fod hynny'n fy mhoeni. Wedi meddwl, rwyf wedi bod yn y cyflwr hwn y rhan fwyaf o'm mywyd. Rwy'n cofio Alun Williams, cyfaill i mi o Lan Conwy, yn gwneud sylw unwaith, ein bod bob amser yn y lleiafrif, ac rwyf wedi meddwl llawer am ei sylw ers hynny. Roeddwn yn y lleiafrif yn y coleg celf oherwydd fy nghefndir, rwyf yn y lleiafrif oherwydd fy mod yn siarad Cymraeg, rwy'n gapelwr, rwy'n genedlaetholwr ac yn heddychwr (er na chafodd hynny 'rioed ei brofi'n iawn). Roeddwn hyd yn oed yn teimlo'n outsider yn Llanuwchllyn wedi i mi adael a dychwelyd yno fel myfyriwr, ac fe ddwysawyd y teimlad pan ddywedodd rhywun fy mod yn edrych fel 'Beatle'. Efallai fod anghydffurfiaeth y coleg celf wedi dechrau dylanwadu arnaf.

Wedi blwyddyn o ymarfer dysgu cefais swydd fel athro celf yn Ysgol Gyfun Rhydfelen, Pontypridd yn 1970. Gwilym Humphreys oedd y prifathro ar y pryd ac roedd yn arwain tîm o athrawon brwdfrydig ac egnïol. Yn wir, roedd yna deimlad fod rhywun yn rhan o grwsâd. Dim ond yn ei fabandod yr oedd addysg ddwyieithog uwchradd yn y de-ddwyrain ar y pryd, a mesur o'i llwyddiant yw bod oddeutu wyth ysgol uwchradd ddwyieithog llawn dwf yn y dalgylch roedd Ysgol Rhydfelen yn ei ddiwallu ar ddechrau'r saithdegau. Roedd llawer o athrawon ysbrydoledig yn Rhydfelen, a'r un a gynrychiolai'r egni a'r brwdfrydedd yn fwy na neb oedd pennaeth yr adran Gymraeg, Nia Daniel (Nia Royles bellach). Cofiaf hi ar daith bws i Wersyll Glan Llyn yn sefyll yng nghanol y bws yr holl ffordd yn annog pawb i ganu. Cymeriad mawr arall sy'n sefyll yn y cof oedd Tom Vale yr athro gwaith coed. Roedd hefyd yn fawr o gorffolaeth ac ni allaf ond dychmygu sut y byddai'n edrych i ddisgyblion newydd blwyddyn 7 pan edrychent i fyny arno. Fe'i clywais unwaith yn cyflwyno rheolau diogelwch y gweithdy i'r newydd-ddyfodiaid. Gosododd ddau fin sbwriel ar y fainc, un metel ac un fasged, gan ddweud, 'Cofiwch, os y digwydd i un ohonoch dorri eich bys i ffwrdd, gwnewch yn siŵr nad ydych yn ei roi yn y fasged neu bydd y gwaed yn mynd i bob man; rhowch e' yn y bin metel.' Syllai môr o wynebau bach diniwed yn gegrwth arno.

Fe erys un digwyddiad yn hir yn y cof. Wedi aros ar ôl ysgol yr oeddwn i gynorthwyo gyda'r Urdd ac yn cael 'kick about' gyda rhai o'r disgyblion, pan aeth y bêl yn syth drwy ffenest swyddfa'r prifathro. Yn anffodus, tarddiad y bêl ddinistriol honno oedd fy nhroed i. (Ni allwn feio fy mrawd bach y tro hwn.) Rhuthrodd Gwilym Humphreys allan o'i swyddfa gan weiddi 'Pwy wnaeth hynna?' Bu tawelwch llethol, ac rwy'n dal i weld y gwenau ar wynebau'r hogia, a'r llwybyr drwyddynt yn agor fel y Môr Coch wrth i mi gerdded at y prifathro mewn sach liain a lludw i gyffesu. Mae'n rhaid dweud hefyd fod hynny wedi tynnu rhyw faint o wynt allan

Gwleidyddiaeth Du a Gwyn

Allan o brosiect 'Llanuwchllyn' Mae'r ddelwedd hon yn fy atgoffa o ddyddiau fy ieuenctid pan oedd gwleidyddiaeth yn ddu a gwyn.

o hwyliau'r prifathro.

Ar ddechrau'r saithdegau roedd ymgyrch yr iaith yn ei hanterth a bûm yn chwarae rhan fechan yn yr ymgyrch yn weithredol yn ogystal â pheth gwaith dylunio oedd yn adlewyrchu'r frwydr.

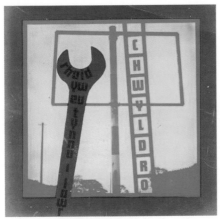

Rhaid yw eu tynnu i lawr
Cynllun clawr record y Chwyldro

Cefn y record
O dan fy enw ar gefn y record mewn cromfachau mae'r sylw chwareus (trwy ganiatâd Llys Ynadon Aberystwyth)

Gwŷs
Llys Ynadon Aberystwyth

Gwelwn gysylltiad agos rhwng addysg ddwyieithog a'r frwydr i sicrhau statws i'r iaith. Wedi'r cwbwl, un o amcanion ysgolion dwyieithog fel Rhydfelen oedd ennyn balchder yn yr iaith Gymraeg, ond anodd iawn oedd cyflawni hynny pan oedd yr iaith yn cael ei sarhau yn y byd mawr y tu allan.

Fe gofiaf un achos yn arbennig. Wedi teithio i Gaerfyrddin yr oeddwn gyda Nonna fy ngwraig i gefnogi hogia Cymdeithas yr Iaith mewn achos cynllwynio, ac ychydig a wyddem beth oedd o'n blaenau. Roedd oriel gyhoeddus y llys yn llawn o gefnogwyr ac mae cynllun llawr y llys yn gyfrifol am yr hyn a ddigwyddodd nesaf. Ar lawr y llys roedd dau ddrws drws nesaf i'w gilydd. Roedd Ffred Ffransis eisioes yn y carchar ar gyhuddiad arall a phan ddaeth i mewn i'r llys drwy un o'r drysau ynghlwm wrth swyddog carchar daeth bonllefau o gymeradwyaeth o du'r oriel gyhoeddus. Popeth yn iawn, ond heb yn wybod i ni, daeth y barnwr i mewn drwy'r drws arall ar yr un pryd ac fe gollodd

Nan

Torlun leino yn seiliedig ar lun yng nghalendr Cymdeithas yr Iaith 1971. Daeth y llun hwn yn ddelwedd eiconig dros frwydr yr iaith. Roedd gennyf gymhelliad ychwanegol dros greu'r ddelwedd hon. Y ferch yn y llun yw Nan Boyer (Humphreys nawr). Mae Nan a Siôn ei gŵr yn gyfeillion mynwesol i Nonna a minnau ers dyddiau coleg. Maent yn cynrychioli mintai o gyfeillion sydd wedi cyfoethogi ein bywyd dros y blynyddoedd. Nid wyf am eu henwi yma ond maent yn gwybod pwy ydynt.

Tyfu'n Gymro
Clawr Tyfu'n Gymro gan Elvet Thomas

ei limpyn yn llwyr gan ddedfrydu pawb oedd yn yr oriel gyhoeddus i dri diwrnod o garchar am ddirmygu'r llys. Rhoddodd hyn gur pen go iawn i'r heddlu. Fe hebryngwyd pawb fel defaid i stafell ar lawr cynta'r llys a'n didoli'n ddynion dros 21, dynion dan 21 a merched. Roedd yn rhaid carcharu'r tri grŵp mewn tri charchar gwahanol; y dynion dros 21 i garchar Abertawe, y dynion dan 21 i garchar Caerdydd a'r merched i Fryste. Ymhen hir a hwyr roedd tri bws y tu allan i'r llys i'n cludo i gaethiwed. Roedd y cyfan yn brofiad mor swreal; dynion yn eu hoed a'u hamser wedi'u cadwyno i'w gilydd yn teithio i garchar Abertawe dan ganu caneuon gwladgarol. Y rheswm ein bod mor ddihid oedd fod y barnwr wedi ein dedfrydu'n benodol i dri diwrnod o garchar. Cefais ar ddeall yn ddiweddarach ein bod yn lwcus yn hynny o beth oherwydd fel arfer caiff person ei ddanfon i garchar am ddirmygu'r llys am gyfnod amhenodol nes y ceir ymddiheuriad. Rwy'n dal i glywed clec y drws yn cau a'r teimlad gwirioneddol o gaethiwed. Roedd pedwar ohonom yn y gell a chyn bo hir fe glywem lais Ffred Ffransis (oedd yn ôl yn y carchar erbyn hyn) yn gweiddi 'Cymru am byth' dros y carchar. Trwy gydol ein harhosiad byddem yn derbyn nodiadau bach o bapur dan y drws gan Ffred. Defnyddiai'r trusties fel postmyn.

Tra oeddwn yn y carchar roedd un peth bach yn fy mhoeni, sef y byddwn yn methu presenoli fy hun yn Ysgol Rhydfelen fore Llun. Does gennyf ddim cof cael fy nisgyblu na cholli cyflog am hyn. Tybed a oedd Gwilym Humphreys yntau'n gweld cysylltiad rhwng brwydr yr iaith a'i grwsâd ef yn ysgol Rhydfelen? – dim ond meddwl.

Fel y cyfeiriais eisioes, danfonwyd y merched i garchar Bryste ac yn eu plith Nonna fy ngwraig. Nid oeddem ond prin flwyddyn i mewn i'n priodas ac

nid dyma'r dechrau gorau i greu argraff ffafriol ar fy rhieni-yng-nghyfraith newydd. Brodor o Aberystwyth oedd Richard Iorwerth Isaac, tad Nonna, ac roedd ei mam Eluned Isaac yn hanu o Ffynnongroyw. Croesodd llwybrau'r ddau tra oedd mam Nonna ar ei gwyliau yn Aberystwyth ac yn gofyn i ryw fachgen ifanc tal golygus ar y prom, ble roedd y swyddfa bost. Mae'r gweddill yn hanes. Wedi iddynt briodi, ymgartrefodd y ddau yng Nghoedlan Iorwerth, Aberystwyth, lle cafodd Nonna ei magu.

Mae'n siŵr fod sylweddoli bod eu merch wedi priodi eithafwr o Gymro a bod hwnnw wedi'i gyrru ar gyfeiliorn wedi bod yn dipyn o sioc iddynt, ac ni allaf ond dychmygu beth oedd eu teimladau pan gawsant alwad ffôn gan fy chwaer Dyfir i ddweud bod Nonna yng ngharchar Bryste – er, i fod yn deg, roedd agwedd Nonna at genedlaetholdeb a'r iaith wedi hen sefydlu cyn iddi fy nghyfarfod i.

Rhyddid
Allan o brosiect 'Gair a Llun' Ni ellir ond carcharu'r corff. 31

"colomen hedd"

Teulu

Roedd y teulu'n bwysig i Richard ac Eluned, ac er gwaethaf y dechrau sigledig braidd, cefais fy nerbyn yn gynnes iawn fel rhan o'r teulu. Yn wir, cawn fy nifetha gan fy mam-yng-nghyfraith ac ni ddeallais na gwerthfawrogi erioed yr hen jôcs am famau yng nghyfraith.

Priodais Nonna yn Eglwys St Pauls Aberystwyth yn 1970 ac rydym wedi rhannu hapusrwydd a threialon bywyd fyth ers hynny. Teimlaf fod y ddeuair 'Gareth a Nonna' yn gyfystyr ag un gair i'n cyfeillion a'n cydnabod erbyn hyn.

Ganwyd Elin ein plentyn cyntaf tra oeddem yn byw yn Llanilltud Faerdre ger Pontypridd, ac fel y gellid disgwyl roedd pawb wedi gwirioni arni. Roedd yn eneth fach bropor a del (ond mi faswn i yn dweud hynny, yn baswn). Pan oedd yn dechrau siarad hoffwn chwarae gêm gyda hi gan ei gosod i eistedd ar y bwrdd, edrych ym myw ei llygaid a gofyn iddi ddweud geiriau mawr megis 'tragwyddoldeb'. Ychydig a wyddwn ar y pryd y byddai ryw ddydd yn arbenigwr seiciatryddol.

Wedi tair blynedd yn Ysgol Gyfun Rhydfelen symudodd Nonna, Elin a minnau yn ôl i fyw i Lanuwchllyn.

Yn Llanuwchllyn y ganwyd ein hail blentyn, Haf. Cafodd Haf ei geni gyda pharlys yr ymennydd. Mae canfyddiad weithiau mewn cymdeithas fod dyfodiad plentyn anabl i deulu yn groes i'w chario. Ni wnaethom ystyried Haf yn groes o gwbwl, yn wir i'r gwrthwyneb. Daeth â llawer o hapusrwydd i ni fel teulu ac roedd ei gwên lydan bob amser yn ennyn ymateb. Ni lesteiriwyd dim ar ei sgiliau cymdeithasol gan ei hanabledd, a llwyddai i dynnu'r gorau allan o bawb. Mewn rhyw ffordd ryfedd llwydda plant a phobl ifanc anabl i amsugno ac amlygu'r daioni sydd mewn pobol a thrwy hynny gyfoethogi ein bywydau. Yn anffodus bu farw Haf yn 31 mlwydd oed ar Fehefin 28, 2006. Nid wyf am ymhelaethu llawer yma am brofiad dirdynnol Nonna a minnau oherwydd ei ddwyster personol. Ni adewais iddo chwaith ddylanwadu'n uniongyrchol ar fy ngwaith celf.

Ond mae un ddelwedd yn ymwneud â phrofiad rhyfeddol a gawsom wedi angladd Haf. Nid wyf yn un sy'n rhoi llawer o grediniaeth mewn arwyddion goruwchnaturiol ond mi ddywedaf yr hanes yn union fel y digwyddodd. Fe gewch ddod i'ch casgliadau eich hunain ynglŷn ag arwyddocâd y digwyddiad. Ddiwrnod wedi angladd Haf daeth colomen wen berffaith i'r ardd, ond pan ddaeth i mewn i'r tŷ cawsom ein cyffroi yn lân. Bu am oriau wedyn yn cerdded yn ôl ac ymlaen ar frig y to. Pan ehedodd i ffwrdd daeth rhyw ryddhad rhyfeddol drosom. Y rhyfeddod yw na welwyd mo'r golomen na chynt nac wedyn. Ar garreg fedd Haf ym mynwent Eglwysbach mae'r geiriau o eiddo fy nhad:

'Mae haf hirfelyn tesog
Yng ngwên Haf a'i chyfarch heulog.'

Dwy Golomen
Mae'r modd y mae rhywun yn gweld ac yn effro i arwyddocâd digwyddiad neu wrthrych dan amgylchiadau arbennig, tra bod eraill yn gweld dim ynddo, yn rhyfeddol

Yn 1979 ganwyd Prys, ein trydydd plentyn, ac fel y gallwch ddychmygu roedd Elin a Haf wedi gwirioni. Bachgen bach ciwt gyda gwallt melyn cyrliog oedd Prys (ond mi faswn i yn dweud hynny, yn baswn?). Roedd y clirio teganau nosweithiol i ni gael gweld y llawr yn wahanol iawn nawr. Ymysg y doliau a'r dodrefn tŷ dol roedd darnau o Lego a chymeriadau Star Wars. Ychydig a wyddwn ar y pryd y byddai Prys yn gyfrifydd i gwmni Eon ymhen blynyddoedd. Wedi meddwl, ni fûm yn llawer o gymorth i Elin a Phrys yn eu gyrfaoedd; wedi'r cwbl, dim ond athro celf ac artist oeddwn i. Bu'n rhaid i'r ddau aeddfedu a thyfu i fyny'n gyflym iawn a daethant yn gynyddol fel yr aent yn hŷn i gyfrannu tuag at y gefnogaeth roedd Haf ei hangen. Serch hynny, fe geisiodd Nonna a minnau sicrhau nad oeddent yn cael eu hamddifadu o'r profiadau roedd y ddau eu hangen wrth dyfu i fyny. Credaf i ni lwyddo yn hyn o beth oherwydd fe ddatblygodd y ddau i fod yn bersonoliaethau cyflawn iawn, a thestun balchder i ni yw eu gweld hwythau yn eu tro'n mwynhau'r profiad o fod yn rhieni - Elin a David yn rhieni i Mared a Wil, a Prys a Caroline yn rhieni i Harri ac Aled. Mared oedd y gyntaf anedig, ac wrth gwrs roedd taid a nain wedi gwirioni'n lân. Roedd y fath achlysur hapus yn galw am englyn; yr unig broblem oedd, er mwyn cadw'r ddesgil yn wastad, y byddai'n rhaid gweithio englynion i'r tri o wyrion eraill ddeuai ar ei hôl. Dyma nhw'r englynion yn y drefn y daethant i'r byd.

Mared

Bwndel nad oes ei delach, ni roddwyd
 I neb rodd amgenach,
 Y wyrth nad oes brydferthach,
 Yn fyw fel rhyw Elin fach.

Wil

Yn Wil mae rhyw dawelwch – i'w weled
 Sy'n hawlio'n tynerwch,
 Yn ei hedd mae'n dedwyddwch
 A'n gobeithion drosto'n drwch.

Harri

I ni Harri sy'n arwr - o'i weled
 Gyda'i ddwylo bocsiwr,
 Ei draed fel rhai peldroediwr,
 A'i wên, bydd seren bid siŵr.

Aled

Hwrê, taid a nain eto, er hynny
 Yr un yw y cyffro,
 Ac Aled o'i weled o,
 Rhoddwn ein cysur iddo.

Nonna a fi
Ein priodas yn Nghapel Sant Paul Aberystwyth 1970

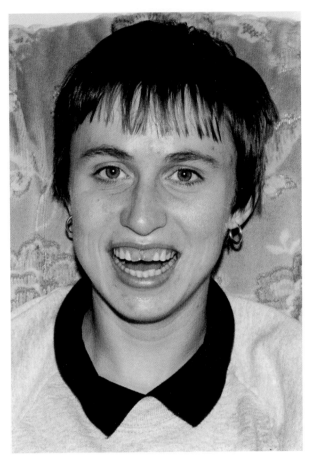

Haf
'Mae haf hirfelyn tesog
Yng ngwên Haf a'i chyfarch heulog.'

Elin a David

Prys a Caroline

Y Pedwar
Mared, Wil, Harri ac Aled

Haf ac Eirwyn
Haf ac Eirwyn fy nghefnder. Gallaf glywed y ddau yn chwerthin.

Glyn

Y gŵr sydd uwchlaw geiriau—ond eto

Yn datod synhwyrau

A siarad mewn gweadau,

A'i gân drwy ei liwiau'n gwau.

Teyrnged i Glyn Baines wedi iddo ennill y Fedal Aur yn Eisteddfod Maldwyn a'r Gororau 20

Dychwelyd i Lanuwchllyn

Mae'n debyg mai'r rheswm pennaf dros symud yn ôl i Lanuwchllyn oedd y dyhead i Elin gael ei magu mewn cymdeithas Gymraeg ei hiaith, a phan welais hysbyseb am athro celf yn Ysgol y Berwyn y Bala fe fachais ar y cyfle. Profiad rhyfedd oedd dod yn ôl i'r hen ysgol fel athro, er bod natur yr ysgol wedi newid; roedd Ysgol Tŷ Tan Domen (ysgol y bechgyn) wedi uno ag ysgol y merched erbyn hynny. Roedd rhai o'r athrawon oedd wedi fy nysgu yn Ysgol Tŷ Tan Domen yn dal yno, ac er fy mod bellach yn gydweithiwr iddynt, ni allwn hepgor eu cyfarch gyda 'chi'; tra'n cyfarch y gweddill gyda 'ti'. Mae'r busnes 'chi' a 'ti' 'ma yn faes cymhleth iawn ac mae angen ei droedio'n ofalus. Roedd dwy ystafell athrawon yn Ysgol y Berwyn, un i'r dynion a'r llall i'r merched. Fe gofiaf un achlysur pan ddaeth athrawes i mewn i ystafell y dynion ar ryw berwyl, ac un o'r athrawon hŷn yn gweiddi, *'It's a woman! It's a woman!'*

Glyn Baines oedd pennaeth yr Adran Gelf ac roedd Glyn i mi yn ymgorfforiad o'r hyn y dylai athro fod, sef person sy'n trosglwyddo'i frwdfrydedd a'i gariad at bwnc i eraill. Llwyddodd Glyn i gyflawni hyn a dylanwadu ar genedlaethau o blant, llawer ohonynt ddaeth yn artistiaid cydnabyddedig eu hunain; artistiaid megis Iwan Bala, Catrin Williams ac Angharad Jones. Roedd y ffaith ei fod yn arfer y grefft o beintio yn rhannol gyfrifol am ei lwyddiant fel athro. Cafodd y Fedal Aur am Gelfyddyd Gain yn Eisteddfod Genedlaethol Maldwyn a'r Cyffiniau, 2015. Edmygaf Glyn am y modd y mae wedi glynu wrth ei egwyddorion celfyddydol. Gall bod yn artist

yn ardal Penllyn, ardal y 'Pethe', fod yn fywyd unig iawn ar adegau, yn enwedig i artist haniaethol fel Glyn. Mae'n destun syndod i mi pam fod cymdeithas sy'n naturiol yn gwerthfawrogi tinc a phatrwm cynghanedd a seiniau haniaethol cerddoriaeth yn ymddangos weithiau yn ddigydymdeimlad tuag at gelf weledol haniaethol. Glynodd Glyn serch hynny wrth gelf haniaethol gan gael ei gyfareddu gan berthynas lliwiau â'i gilydd, natur y terfyn rhwng ffurfiau ac ansawdd wyneb y peintiad, gan arddel cysyniad y peintiad fel gwrthrych ynddo'i hun. Cofiaf unwaith dynnu ei goes drwy awgrymu ei fod yn gwerthu ei enaid gan fod yna linellau llorweddol yn dechrau ymddangos yn ei beintiadau a oedd yn adleisio gorwel.

Cymeriad lliwgar arall y bûm yn cydweithio â hi oedd yr athrawes ddrama Buddug James Jones. Dylanwadodd hithau fel Glyn ar genedlaethau o ddisgyblion. Mae'n debyg mai dyma pryd y dechreuodd fy niddordeb gwirioneddol mewn cynllunio setiau. Gyda chynyrchiadau Buddug, nid fy sgiliau cynllunio setiau yn unig oedd yn cael eu datblygu ond hefyd fy nghyhyrau. Mynnai gael gwahanol lefelau yn ei chynyrchiadau i'w galluogi i gyfansoddi darluniau effeithiol gyda'r byddinoedd o blant a ymddangosai ar y llwyfan. Roedd angen cryfder sylweddol i gario'r lefelau trwm i Eisteddfodau'r Urdd dros Gymru benbaladr.

Roedd newidiadau mawr ar droed yn ystod y saithdegau ac arwyddion cyntaf o'r dechnoleg newydd yn dechrau ymddangos ym myd addysg.

Glyn
Allan o brosiect 'Engluniau'
Cyfarchion i Glyn Baines wedi iddo ennill y Fedal Aur am Gelfyddyd
Gain yn Eisteddfod Genedlaethol Maldwyn a'r Cyffiniau 2015

Cofiaf un cyfarfod athrawon arbennig a gynhaliwyd wedi i'r prifathro Dr Iwan Bryn Williams ddychwelyd o ryw gwrs. Ei frawddeg gyntaf oedd, 'Mae yna rywbeth a elwir yn *chip* yn mynd i newid byd addysg.' Ni sylweddolodd neb wir arwyddocâd y datganiad hwnnw ar y pryd ac nid oeddwn innau chwaith yn ymwybodol y byddai'r *chip* ryw ddydd yn gymorth i mi fynegi fy syniadau celfyddydol. Un diwrnod daeth ffotocopïwr newydd sbon i'r ysgol ond cafodd ei gloi yn un o stordai'r labordai gwyddoniaeth gyda'r cyhoeddiad fod yn rhaid gwneud apwyntiad i'w ddefnyddio. Mabwysiadwyd yr un agwedd tuag at y cyfrifiaduron cyntaf a ddaeth i'r ysgol lle cawsant eu cyflwyno i'r adrannau Mathemateg a Gwyddoniaeth. Ar y dechrau, y gred oedd mai dim ond y mathemategwyr a'r gwyddonwyr oedd yn ddigon clyfar i ddeall a defnyddio'r cyfarpar newydd. Fel mae pethau wedi newid; ar faes 'Steddfod Sir Fynwy a'r Cyffiniau 2016 clywais ferch fach wyth oed yn cwyno am ansawdd y wi-fi.

Er yr holl newidiadau, ychydig iawn oedd wedi newid yn Llanuwchllyn ers dyddiau fy magwraeth.

Fe ddywedir yn aml nad yw'n beth doeth mynd yn ôl i fyw i fro eich mebyd oherwydd fod natur y lle wedi newid dros amser, ond nid oedd hynny'n wir am Lanuwchllyn.

Ail ymgartrefais yn Llanuwchllyn yn rhwydd iawn gan ymuno â bywyd cymdeithasol y pentref yn ei holl amrywiaeth. Un o nodweddion bywyd pentref iach yw nad oes llawer o garfanu; peth digon cyffredin oedd gweld yr un person yn chwarae pêl-droed ar Gae Prys bnawn Sadwrn, yn yr ymarfer côr ar nos Iau, yn cymryd rhan yn y capel ar ddydd Sul ac yn ymarfer at yr ŵyl ddrama.

Roedd fy mywyd cymdeithasol innau'n adlewyrchu'r amrywiaeth hwn. Hoffwn fynychu dosbarth cynganeddu Twm Prys Jones, ac rwy'n ddiolchgar iawn iddo am fy nghyflwyno i dinc y gynghanedd; mae fy niddordeb ynddi wedi parhau hyd heddiw.

Un arall fu'n cynnal fy niddordeb yn y gynghanedd oedd R. O. Williams, cydweithiwr i mi yn Ysgol y Berwyn. Peth digon cyffredin fyddai iddo ddanfon plentyn gyda darn o bapur gydag englyn i'w orffen

erbyn diwedd y dydd. Un tro, pan oeddwn yn ymweld
â Chadeirlan Efrog, wedi dod yn ôl at y car canfyddais
ddarn o bapur ar y ffenest. Roedd R. O. wedi gadael
nodyn ac arno'r neges, 'gorffenna hwn'.
Dyma fo'r englyn cyflawn –

> Ei lydan adeiladwaith - sydd yn dyst
>   Sydd yn deml cywreinwaith,
>   Roedd y loes, y groes a'r graith
>   Yn arf awdur dy gerfwaith.

Wrthi'n dysgu cynganeddu oeddwn i cofiwch.

Gorffen englyn
Y darn papur a adawyd ar ffenest fy nghar.

Roedd R. O. yn un da hefyd am fy annog i gystadlu ar yr englyn mewn Eisteddfodau. Un tro fe ddanfonodd y ddau ohonom englyn ar y testun 'Tafod' i Eisteddfod y Ffôr. Dyfarnwyd y ddau englyn yn gyfartal. Rwy'n eithaf balch o hynny, gan i R. O. ddyfod yn brifardd maes o law.

Dyma fy englyn i. Nid wyf wedi mynd i lawer o drafferth i ganfod englyn R. O. rhag ofn i'r darllenydd anghytuno â'r beirniad.

> Tafod
> Hen wadan rhwng y dannedd, a'r gallu
>   I golli amynedd,
>   Ond er hyn gall gadw'r hedd
>   Â geiriau llawn trugaredd.

Roeddwn wrth fy modd yn mynychu'r dosbarth ysgol Sul yng Nglanaber a theimlad braf oedd codi llaw ar Dafydd Dôl Fach neu fy athro ysgol Sul, Mr Gwilym Roberts y Garth, ar eu tractorau fore Llun gan wybod ein bod wedi bod mewn trafodaeth synhwyrol ddofn y diwrnod cynt; mae 'cysgod y capel' yn dal yn gryf arnaf. Roedd ysgolion Sul oedolion yn rhoi cyfle i bobl gymryd rhan mewn trafodaeth, ac mae'r cyfleon i wneud hynny'n brin iawn y dyddiau hyn.

Bûm yn ymwneud hefyd â chlwb pêl-droed Llanuwchllyn ac yn ysgrifennydd y clwb am gyfnod. Nid oedd hyn bob amser yn bleser. Cofiaf gysylltu fwy nag unwaith ag ysgrifennydd y gynghrair pan oedd y fflu wedi taro mwyafrif o'r tîm i ddweud nad oedd modd cael tîm at ei gilydd. Cyd-ddigwyddiad llwyr oedd y ffaith fod yna gemau rygbi rhyngwladol i lawr yng Nghaerdydd yn cydredeg â'r epidemics. Dro arall, wedi tymor hir a gwlyb gyda llawer o'r gemau wedi eu gohirio, roedd un gêm ar ôl ar ddiwedd y tymor ac roedd yn rhaid ei chwarae, ond fe dorrodd y dyfarnwr ei gyhoeddiad. Cytunodd y ddau dîm i mi fod yn ddyfarnwr, a fyth ers y dwthwn hwnnw mae gennyf gydymdeimlad llwyr â dyfarnwyr. Cofiaf yr achlysur yn glir iawn, a hynny mae'n debyg am na siaradodd fy ffrindiau mynwesol â mi am ddyddiau wedyn. Roedd y gêm yn ei chwarter awr olaf pan gyflawnodd George Lewis

Jones (Charlie) y dacl futraf a welais erioed mewn blwch cosbi. Doedd gennyf ddim dewis ond dyfarnu cic gosb i'r ymwelwyr. Aeth y dorf yn hollol dawel a'r cwbwl a glywn oedd ambell i frân yn crawcian yng nghoed Prys Mawr. Bûm yn petruso'n hir cyn penderfynu cofnodi'r achlysur hwn rhag ofn i mi godi hen grachen.

Wedi'r ailgartrefu y dechreuodd fy niddordeb ym myd y ddrama. Roedd Gŵyl Ddrama Llanuwchllyn yn un o uchafbwyntiau'r flwyddyn ac roedd gan y stad o dai newydd lle roeddem fel teulu wedi ymgartrefu ei chwmni drama ei hun – Cwmni Cae Gwalia. Roedd digon o gwmnïau yn yr ardal i gynnal wythnos o ddramâu. Nid oedd yn ŵyl ddrama gystadleuol ond yn hytrach yn ddigwyddiad i greu adloniant brethyn cartref.

Roedd bod mor ffodus â byw mewn cymdeithas mor Gymreig a bywiog yn sicr o ladd unrhyw ddyheadau gyrfaol oedd gennyf. Buaswn wedi bod yn hapus i dreulio gweddill fy mywyd gweithiol yn dysgu celf yn Ysgol y Berwyn, ond fel y tyfai Haf daeth ei hanghenion addysgol yn fwy i flaen

meddyliau Nonna a minnau. Dechreuodd ei haddysg gynnar yn Ysgol O. M. Edwards ac er iddi gael y sylw gorau yno daethom yn gynyddol i'r casgliad y byddai addysg mewn ysgol arbennig yn fwy addas iddi. Yr ysgol addysg arbennig agosaf oedd Ysgol y Gogarth, Llandudno, ond nid oeddem yn barod i ystyried o gwbwl ei danfon i ysgol breswyl. Un diwrnod gwelais hysbyseb am Bennaeth Adran Gelf yn Ysgol y Creuddyn ger Llandudno; dyma ymgeisio am y swydd a'i chael. Roedd hwn yn benderfyniad hawdd ar un wedd oherwydd amgylchiadau Haf ond yn anodd ar y llaw arall oherwydd fy ymlyniad emosiynol at Lanuwchllyn ac ardal Penllyn.

Mae'n rhaid cyfaddef fod gennyf dipyn o hiraeth ar y dechrau ond sylweddolais yn fuan iawn fod hiraeth yn emosiwn y mae'n rhaid cadw rheolaeth arno. Ar ei buraf fe olyga fod rhywun yn byw yn y gorffennol ac mewn cyfnod arall o'i fywyd. Wedi'r cwbwl, roedd y plant yn dal yn ifanc, a byddent yn treulio'u cyfnod ffurfiannol yn Nyffryn Conwy. Roedd cyfnod newydd arall ar fin dechrau.

Dyffryn Conwy

Yn 1983 gwnaethom ein cartref newydd yng Nglan Conwy lle y treuliasom bum mlynedd hapus iawn. Yno cefais fy nghodi'n flaenor yng Nghapel Bryn Ebeneser. Derbyniais y swydd ar ôl tipyn o gyfyng gyngor, nid oherwydd rhyw deimlad o deilyngdod ond oherwydd fy mod o'r farn y byddai'r pentref yn llawer tlotach heb y capel yn ei ganol.

Roedd symud i ardal eithaf Seisnig o gymuned hollol Gymreig fel Llanuwchllyn yn dipyn o newid. O amgylch aber Afon Conwy roedd y math o Gymreictod roeddwn yn gyfarwydd ag o, ond mewn pocedi yma ac acw. Yn reddfol, chwiliwn am gyfleoedd fyddai'n diwallu unrhyw golled ddiwylliannol a deimlwn. Yn gynnar iawn ymunais â dwy gymdeithas – Clwb y Gogarth, Llandudno a Chlwb yr Efail, Bae Colwyn. Cefais fy nghyflwyno i Glwb yr Efail gan E. Meirion Roberts, y cartwnydd enwog a chyfaill mynwesol i'm tad, ac i Glwb y Gogarth gan O. M. Roberts, y cenedlaetholwr adnabyddus. Hyd y gwn i, O. M. Roberts a minnau oedd yr unig ddau fu'n aelod o'r ddau glwb ar yr un pryd. Roedd aelodau'r ddau glwb o'r un anian – eneidiau wedi darganfod ynys o Gymreictod yng nghanol bywyd trefol Seisnig. Prin iawn oedd yr aelodau allai honni eu bod yn frodorion o'r ardal. Roedd gan y rhelyw o aelodau gysylltiad emosiynol ag ardaloedd eraill megis pellafion Pen Llŷn, Ynys Môn, bryniau Clwyd, ardaloedd llechi Sir Gaernarfon neu ucheldiroedd Meirionnydd. Y math o Gymry (ac rwyf i'n un ohonynt) sydd wedi

cynyddu wrth i gymdeithas ddod yn fwy symudol dros y blynyddoedd, am wahanol resymau. Ceisiais gyfleu hyn mewn soned a enillodd y goron i mi yn eisteddfod Clwb y Gogarth 2002.

HANNER CANMLWYDDIANT CLWB Y GOGARTH
Cerdd fuddugol Cystadleuaeth y Goron (gyda pheth addasiad yng ngoleuni hunanfeirniadaeth)

Rwyt ti yn hafan i gyfeillion llon,
A dŵr i'w gwreiddiau mewn dieithr fyd,
Yn gysur pan mae hiraeth gyda'i don
Yn golchi godre oer eu bywyd clyd,
Fel pwll yng nghanol creigiau ydwyt ti
'Rôl cilio bwrlwm môr eu mebyd hwy
Ac angor i wrthsefyll grym y lli
I rwystro cwch y cof rhag suddo mwy,
A thybiais imi glywed yn y gwynt
Leisiau cyfeillion triw yn galw'n daer
Ar i ninnau, fel bu i hwythau gynt
Gadw'n gryf dy furiau, a'th wneud yn gaer
I warchod hud y 'pethe' ynom ni
Tra pery'r Gogarth Fawr i herio'r lli.

Roedd trefn y ddau glwb yn debyg iawn i'w gilydd – cyfarfod bob pythefnos, un o'r aelodau'n cyflwyno papur ar bwnc arbennig ac un arall yn cadeirio. Ar ddiwedd pob tymor cynhelid eisteddfod lenyddol. Roedd eisteddfod Clwb y Gogarth yn arbennig oherwydd y seremoni goroni. Defnyddid cadair a

Bryn Ebeneser
Y capel yng nghanol pentref Glan Conwy

45

ataliwyd yn Eisteddfod Genedlaethol Llandudno 1963 fel rhan o'r ddefod. Ysgol Morfa Rhianedd oedd cartref parhaol y gadair ond byddai'n cael mynd am dro bob blwyddyn i un o westai Llandudno. Cefais gyfle i eistedd yn y gadair fwy nag unwaith tra'n cofio mai'r bardd ddaeth yn ail oedd neb llai nag Euros Bowen ei hun gyda'r awdl 'Genesis'. Yn yr ysbryd eisteddfodol gorau mi fentraf ddweud ei fod wedi cael cam. Pan ymunais â Chlwb yr Efail Bae Colwyn gyntaf roedd rhai rheolau yr oedd yn rhaid i'r gofaint eu parchu. Er enghraifft, wrth gyfrannu i'r drafodaeth ar y diwedd, roedd dangos gwerthfawrogiad o gyfraniad yr agorwr yn dderbyniol ond ni ddylid diolch – gwaith y cadeirydd oedd hynny. Roedd siarad fwy nag unwaith hefyd yn anfaddeuol. Mae'n debyg mai dyfais oedd hon i rwystro'r drafodaeth rhag troi'n ddadl; rhaid oedd dweud eich dweud a dyna fo.

Cwmni Drama Glan Conwy

Dyma'r cyfnod hefyd yr ymunais â Chwmni Drama Glan Conwy a sefydlwyd gan Arwel ac Elfrys Roberts. Bu'r Cwmni'n rhan annatod o 'mywyd creadigol a chymdeithasol am flynyddoedd. Fy nghariad cyntaf wrth gwrs oedd cynllunio'r setiau, ond hefyd cefais gyfle i actio, cyfarwyddo a sgwennu ambell i ddrama megis 'Yr Amlen Frown', 'Plygu'r Papur' ac 'Y Rhandir.' Roedd llwyddiant y cwmni i'w briodoli nid yn unig i'r actorion ardderchog fu'n rhan o'r cwmni dros y blynyddoedd, ond hefyd i'r tîm technegol – Alun Williams adeiladydd y setiau a John Hughes Jones, technegydd, ysgrifennydd, trysorydd ac unrhyw job arall oedd yn mynd. Bu'r ddau yma hefyd yn gefn i mi yn fy ymwneud â Chwmni Theatr Maldwyn, ond mwy am hynny i ddod. Perfformiwyd drama bob blwyddyn dros gyfnod o chwarter canrif ac mae rhestr y dramâu yn un faith.

CWMNI DRAMA GLAN CONWY

1981	Sali'r Samon
1982	Y Bore a Fu
1983	Operasion
1984	Catrin o Ferain
1985	Gwirion Hen a Parot
1986	Y Rose'n Crown
1987	Bethania
1988	Breuddwyd Mam
1989	Peidiwch a Chynhyrfu
1990	Wil Angladde
1991	Gair i Gall a Ceiliog y Domen
1992	Gwinllan a Roddwyd
1993	Gwesty Garibaldi
1994	Llond Bol
1995	Y Ddamwain
1996	French Drors a Hic Hoc
1997	Y Tŷ ym Methania
1998	Maes B
1999	Tomi
2002	Wal
2003	Yr Amlen Frown
2004	Bob Birmingham
2005	Yn Debyg i Ti a Fi
2006	Plygu'r Papur
2007	Y Cinio
2008	Y Rhandir

29 cynhyrchiad o 1981 hyd at 2011

Rhestr Dramâu
29 cynhyrchiad o 1981 - 2011

Dechrau'r daith bob blwyddyn oedd Gŵyl Ddramâu y Pentan yng Nghonwy; yna teithio i wyliau drama megis Corwen, Y Foel, Groeslon, Gŵyl Ddrama Môn, Eisteddfod Powys a Phontrhydfendigaid. Roedd y daith adref o'r Bont yn oriau mân y bore yn dipyn byrrach os oedd cwpan neu dlws yr actor neu actores orau yng nghefn y fan. Yn amlach na pheidio, arwydd o lwyddiant Gwen Humphreys, Elfrys Roberts neu Hefin Jones oedd tlysau'r actor gorau. Byddwn yn tynnu coes Hefin yn aml gan ddweud 'biti na fase

'na dlws i'r supporting actor fel yn yr Oscars' - efallai y buasai gennyf i ryw siawns fechan o'i hennill.

Yn ogystal â bod yn llwyddiannus yn y gwyliau drama, cipiodd y cwmni nifer o wobrau cynta' yn yr Eisteddfod Genedlaethol gyda dramâu megis *Gair i Gall* T. James Jones, Eisteddfod Genedlaethol Bro Delyn (1991), *Y Ddamwain* Bob Roberts, Eisteddfod Genedlaethol Bro Colwyn (1995) a *Wal* Aled Jones Williams, Eisteddfod Genedlaethol Tyddewi (2002).

Set 'y Ddamwain'
Cynllun set 'Y Ddamwain' wedi ei symbylu gan waith yr artist Edvard Munch.

Roedd y profiad o gyflwyno *Wal* Aled Jones
Williams yn wefreiddiol ac fe esgorodd y profiad ar
nifer o ddelweddau.

Wal
Hefin Jones a minnau yn Wal – Aled Jones Williams

Set Bethania
Cynllun o set Tŷ ym Methania

Lasarus

*Tyfais y farf yn arbennig ar gyfer rhan Lasarus yn Tŷ ym
Methania yn 1987 ac mae'n dal gennyf fyth ers hynny ond
mae ei lliw yn wahanol.*

Cast Bethania

*O'r top i'r gwaelod – Hefin Jones, Gareth Owen,
Gwen Humphreys, Sian Lloyd Jones, Gwawr Jones.*

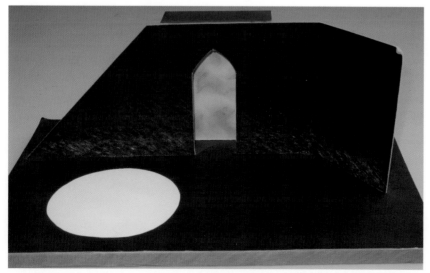

Breuddwyd Mam

*Model o set Breuddwyd Mam. Dyma
englyn o set gyda phob agwedd ohoni yn
cyfrif am ei lle.*

1. *Y set yn codi o ddim tuag at yr ardal
   lle roedd yr hyn oedd ym meddwl y
   fam yn cael ei chwarae.*
2. *Y lle crwn yn dynodi lleoliad y fam
   a'r crud.*
3. *Drws eglwysig yn y canol oedd yn
   cael ei ddefnyddio unwaith yn unig
   ar ddiwedd y ddrama gydag
   ymddangosiad y forwyn Fair.*
4. *Argraff o niwl ar waelod y set i greu
   awyrgylch breuddwydiol.*

Eglwysbach

Fe barhaodd fy nghysylltiad â Chwmni Drama Glan Conwy wedi i ni symud i Eglwysbach i fyw yn 1988, oherwydd dyna lle roedd prif actor y cwmni, Hefin Jones, yn byw. Mab yr Efail Eglwysbach yw Hefin, a'i dad oedd y gof enwog John Jones Eglwysbach. Pan oeddwn yn byw yn Llanuwchllyn yn y chwedegau, yn ddiarwybod i mi, roedd gennyf gysylltiad anuniongyrchol â Hefin a'i dad, a hynny oherwydd y ffaith fod fy nhad wedi cynllunio giât y fynwent newydd yn Llanuwchllyn. Soniodd fy nhad wrthyf fwy nag unwaith fel y bu'n talu ymweliad ag efail Eglwysbach. Ond ni ddeallais tan yn ddiweddarach mai ymweld yr oedd â Hefin a'i dad, gwneuthurwyr y giât.

Cefais daith annisgwyl unwaith o gwmpas giatiau John Jones ar un o ffermydd Eglwysbach, a hynny dan amgylchiadau eithaf trwstan. Roedd un o'm cyfeillion, Bryn Penbryn, yn dathlu ei ben-blwydd yn 60 a phenderfynais wneud llun o Benbryn yn anrheg iddo. Ond yn gyntaf rhaid oedd gwneud ychydig o ymchwil drwy fynd draw yn llechwraidd i gyffiniau Penbryn gyda chamera'n crogi o amgylch fy ngwddf. Roeddwn ar fin tynnu llun o'r ffermdy drwy fwlch yn y clawdd, pan ddaeth Pero, un o gŵn Penbryn, o hyd i mi, gan gyfarth yn uchel. Daeth Bryn rownd y gornel â'i wynt yn ei ddwrn i weld beth oedd yr holl stŵr a 'nghanfod i yno. 'Dow, sut ma'i Gari O,' meddai, 'Be' ti'n 'neud fan hyn?' 'Ym-ym, gwneud astudiaeth o giatiau fferm,' meddwn innau mewn panic gyda'r camera'n gorwedd ar fy mol. 'Tyrd efo fi,' meddai Bryn, 'mae gen i ddigonedd o samplau ffor' hyn.' Dangosodd giatiau'r fferm i gyd i mi, llawer ohonynt yn giatiau haearn John Jones Eglwysbach. Rhaid oedd dangos

diddordeb drwy bwyntio fy nghamera atynt i gyd. Cyflwynais ddarlun o fferm Penbryn i Bryn yn ei barti penblwydd a dyna pryd y sylweddolodd beth oedd fy ngwir bwrpas yn llechu tu ôl i'r clawdd y diwrnod hwnnw.

Pan ymgartrefais gyntaf yn Eglwysbach, tad Bryn, sef John Hughes Penbryn, oedd athro ysgol Sul yr oedolion. Roedd John Hughes yn werinwr diwylliedig, ac o'i eni mewn cyfnod diweddarach a chael cyfle i gario 'mlaen â'i addysg buasai'n ddeunydd athro mewn prifysgol. Ni ellir gwadu mai peth da yw'r cyfleon addysg a geir heddiw, ond ar y llaw arall mae'r drefn yn amddifadu cymunedau o bobol alluog fel John Hughes. Gallai yn ei nawdegau sefyll o flaen dosbarth yn dal pen rheswm, yn arwain a chaniatáu trafodaeth ond ar yr un pryd yn cyfleu ei safbwyntiau ef ei hun a'u hatgyfnerthu â dyfyniadau o'r Beibl. Roedd mwy na 'chysgod y capel' ar John Hughes. Roedd dosbarth ysgol Sul yr oedolion ym Methania (Capel M.C. Eglwysbach yn awr) yn fy atgoffa o ddosbarth ysgol Sul yr oedolion yng Nglanaber yn ôl yn Llanuwchllyn. Dyna pam i mi ymgartrefu mor rhwydd yn y fro; roedd fy math i o bobl yn byw yno.

Canolbwynt fy mywyd cymdeithasol oedd y capel a chefais fy nghodi'n flaenor unwaith eto. Derbyniais yr alwad am yn union yr un rheswm ag o'r blaen. Roeddwn yn ffodus iawn yn fy nghyd-flaenoriaid, William Williams, Bryn Hughes a Gareth Jones. Ein hysgrifennydd a'n harweinydd oedd Gareth Tynant ac mi fentraf ddweud y byddai llawer llai o lewyrch ar yr eglwys oni bai am ei ymroddiad ef i'r achos. Byddwn am gyfnod yn y flwyddyn (cyfnod wyna fel arfer) yn ei helpu gyda'r ysgol Sul. Achosai hyn gryn benbleth i'r plant gan fod yna ddau Gareth. Daethant dros y broblem drwy fathu llysenwau arnom. Cyfeirient at Gareth Tynant fel 'Wncl Gareth plastic bag' oherwydd ei arferiad o gario'i lyfrau a'i waith papur mewn bag plastig. 'Wncl Gareth ambarél' oeddwn i oherwydd fy arferiad o ddod ag ambarél i'r capel. Gyda llaw, byddai fy ffrindiau amaethyddol yn gwneud sylw am fy ambarél yn aml, gan ryw led awgrymu ei fod yn beth uchel ael. Byddwn innau'n ymateb drwy ddatgan mai arwydd o dlodi ydoedd am na allwn i fforddio côt, ac y byddai'n syniad da iddynt hwythau gael un i gadw'n sych yn y mart.

Llorweddol / Fertigol
Allan o brosiect 'Cysgod y Capel'. Delwedd a ddeilliodd o wrando ar bregeth gan y Parch Huw Jones.

Yng Nghapel M.C. Eglwysbach y cefais i lawer o fy syniadau ar gyfer fy mhrosiect 'Cysgod y Capel', ond mwy am hynny eto. Bu ambell i bregeth a

Caru
Allan o brosiect 'Cysgod y Capel'. Delwedd a ddeilliodd o wrando ar bregeth y Parch Gwenda Richards

glywais yn symbyliad i greu delwedd, er enghraifft gwnaeth pregeth y Parch Huw Jones (Y Bala gynt) argraff ddofn arnaf, lle cyfeiriodd at nodweddion llorweddol a fertigol Cristnogaeth, sef yr ymarferol a'r defosiynol. Dro arall, pregeth y Parch Gwenda Richards oedd y symbyliad wrth iddi gyfeirio at y camau o ymgyrraedd at y cyflwr o 'garu'. Y ris gyntaf oedd 'sylwi', a'r ail ris oedd 'gwerthfawrogi'.

Fe erys achlysur diddorol arall yn y cof. Digwyddodd yn ystod fy arddangosfa 'Cysgod y Capel' yng Ngaleri Caernarfon. Dechreuodd y Parch John Owen Bethesda ei bregeth drwy gyfeirio at arddangosfa a welodd yng Ngaleri Caernarfon. Yn sydyn dyma fy nghyd flaenoriaid yn torri ar ei draws

Penbryn
gyda Pero, y ci a ddaeth o hyd i mi, wedi ei anfarwoli.

mewn un llais gan ddweud fod yr artist yn eistedd yn y sêt fawr. Mae'n debyg iddynt ymyrryd rhag ofn iddo ddweud rhywbeth dilornus am yr arddangosfa. Fy nheimladau i ar y pryd oedd fod yna rywbeth diddorol iawn wedi digwydd. Y drefn arferol oedd cael fy symbylu gan yr hyn a glywn mewn pregeth, ond y tro hwn, roedd fy ngwaith wedi symbylu pregeth.

Mae'r broses o ddod i adnabod ardal newydd yn gallu bod yn faith a chymhleth, a theimlwn chwithdod wrth daflu fy ngolygon dros dirwedd Eglwysbach am nad oeddwn yn adnabod enwau'r ffermydd a welwn, heb sôn am wybod pwy oedd yn byw yno. Mor wahanol oedd hi'n ôl yn Llanuwchllyn lle roedd enwau'r ffermydd i gyd yn gyfarwydd i mi. Ond daeth iachawdwriaeth; cynhaliwyd etholiad cyffredinol ychydig wedi i ni ymgartrefu yn Eglwysbach a bûm o amgylch pob fferm yn yr ardal yn canfasio dros Elfyn Llwyd, Plaid Cymru. O hynny ymlaen pan welwn bobl yn y pentref, nid yn unig roeddwn yn gwybod pwy oeddynt ond hefyd ble roeddynt yn byw. Dan amgylchiadau arferol byddai wedi cymryd blynyddoedd i mi gywain y fath wybodaeth.

Cynyddais fy adnabyddiaeth o'r dyffryn drwy ddilyn cwrs afon Conwy o'i tharddiad i'w haber gan luniadu gwahanol rannau ohoni, delweddau a ddefnyddiais maes o law fel rhan o gynllun clawr Rhaglen Swyddogol Eisteddfod Genedlaethol Dyffryn Conwy a'r Cyffiniau 1989.

Treuliais beth amser yng nghwmni'r hanesydd lleol Esli Jones. Roedd Esli'n gymeriad diddorol iawn a meddai ar ddoniau cyfrin. Mae rhywun yn gyfarwydd â phobl yn canfod dŵr drwy gael divining rods i ymateb ond gallai Esli ganfod olion a sylfeini adeiladau o dan y ddaear. Honnai fod yna safle hen abaty yng nghaeau Pennant ym mhen dyffryn

Afon Conwy 1
Afon Conwy ger ei tharddiad

Afon Conwy 2
Afon Conwy ger Betws-y-coed

Eglwysbach. Bûm yno gydag ef unwaith yn troedio'r safle ac yntau'n amlinellu cynllun llawr yr adeilad gyda'r bwriad o roi digon o wybodaeth i mi greu argraff artist o'r lle. Fe glywais yn ddiweddarach fod yna stori ysbryd ynglŷn â rhyw fynach yn gysylltiedig â'r fangre – rhyfedd yn wir. Dro arall, bûm gydag ef yn Nhan y Castell, Henryd. Honnai

54

Afon Conwy 3
Afon Conwy ger Llanrwst

Afon Conwy 4
Aber Afon Conwy

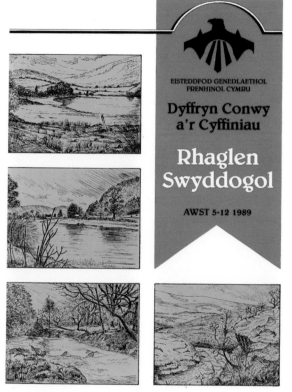

Clawr Rhaglen
Clawr Rhaglen Eisteddfod Genedlaethol Dyffryn Conwy a'r Cyffiniau 1989 yn cynnwys lluniadau o Afon Conwy.

fod yna bentref canoloesol wedi bod yn un o'r caeau ac fe gyflwynodd ddigon o wybodaeth i mi y tro hwn hefyd i mi greu argraff artist o'r safle. Cynllun y safle oedd neuadd fawr yn y canol a thai crynion mewn cylch o'i hamgylch. Roeddwn yn barod i dderbyn bod ganddo'r gallu rhyfeddol i ganfod sylfeini o dan y ddaear ond mae'n rhaid i mi

gyfaddef fy mod yn amheus a dweud y lleiaf pan ddechreuodd grogi darn o risial uwch ben rhyw faen a orweddai yn y brwyn gan honni y byddai'r grisial yn dweud beth oedd ei oed. Gallai'r grisial hefyd (yn ôl Esli) wahaniaethu rhwng carreg gyffredin a maen, sef carreg wedi ei thrin. Ond er gwaethaf fy amheuaeth, digwyddodd rhywbeth na allaf mo'i esbonio. Crogodd y grisial uwchben carreg oedd yn ôl pob golwg wedi gorwedd yno erioed gyda mwsog yn drwch drosti. Yn sydyn dyma'r grisial yn dechrau chwyrlïo troi'n afreolus a dyma Esli, wedi ei gyffroi'n lân, yn tynnu mwsog oddi arni. Ar wyneb y garreg roedd pedair rhigol yn rhedeg yn gyfochrog. Syllais arno'n gegrwth wrth iddo ddechrau damcaniaethu – 'Mae'n rhaid mai yma roedd preswylwyr y pentref yn hogi blaenau eu picelli o chwarel Penmaenmawr,' meddai.

Abaty dychmygol
Argraff artist o Abaty ar gaeau Pennant Eglwysbach a luniwyd wedi ymweliad gydag Esli Jones â'r safle.

Ysgol y Creuddyn

Yn Ysgol y Creuddyn y treuliais y rhan fwyaf o 'mywyd gweithiol, chwarter canrif i gyd. Roedd yno ryw deimlad o grwsâd fel yr oedd yn Ysgol Rhydfelen flynyddoedd yn ôl. Y teimlad hwn oedd y tu cefn i gywydd a luniais i ddathlu chwarter canrif o fodolaeth yr ysgol.

Ysgol ar ffurf y gasgen
Yno i ddal y gwinoedd hen
A'u gwaddod, nes dyfod dydd
Y rhed newydd wirodydd.
Enaid hon mewn cyfnod du
Fydd sail yr ail gostrelu.

Yn ddistaw plethwyd cawell
Ar derfyn y penrhyn pell,
Ac yng ngwyll ein diwylliant
Ei phleth rydd obaith i'w phlant.
Rhoddwyd yn hesg y Creuddyn
I'w cynnal a'u dal yn dynn.

Ein castell ym mro'r cestyll
A'i antur yn gwanu'r gwyll,
Ag arfau doniau a dysg,
Arfau brwydyr di-derfysg.
Nid arf gwae ond arf y gair
Heddiw yw ei harwyddair.

Ai enfys wedi'i hanfon
Yn obaith i'n hiaith yw hon?
Ai heulwen wedi'r dilyw?
Ai sicrwydd? Ai arwydd yw
Fod awr y newydd wawrio
Yn ei rwysg yn lliwio'r fro?

Roedd adeilad Ysgol y Creuddyn yn unigryw iawn, ac yn debyg iawn i'r delweddau a ddefnyddiais yn y cywydd – casgen, cawell, castell ac enfys. Defnyddiais ffurf anghyffredin to'r adeilad fel sail i logo'r ysgol. Y syniad y tu ôl i'r symbol oedd fod y triongl mawr yn cynrychioli addysg y disgyblion a'r triongl bychan yn cynrychioli bywyd ar ôl ysgol.

Logo

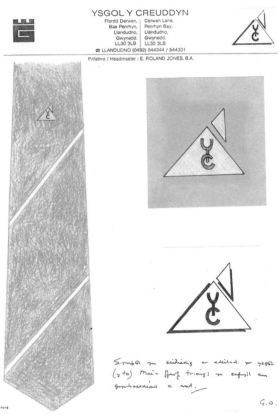

Logo Y.C.
Logo Ysgol y Creuddyn

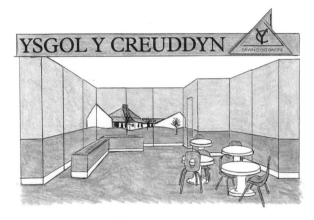

Pabell Ysgol y Creuddyn
Cynllun pabell Ysgol y Creuddyn yn Eisteddfod Genedlaethol yr Urdd 2000

57

Fe gynlluniais setiau i lawer o gynyrchiadau cofiadwy, megis *Cochyn*, *Olifar*, *Crythor ar y To*, *Y Dewin Oz*, *Ceiliog y Domen*, *Grease*, a'r *Da, y Drwg a'r Di-glem* i ddathlu penblwydd yr ysgol yn chwarter canrif. Cefais gyfle i gydweithio ag athrawon drama a chyfarwyddwyr dawnus ac egnïol – Arwel Hughes Roberts, Meinir Lynch, Mererid Jones, Bethan Catrin Jones / Roberts a Catrin Hughes Jones. Ein tad ni oll wrth gwrs (er fy mod yr un oed ag o) oedd Dafydd Lloyd Jones y Pennaeth Cerddoriaeth.

Cefais flynyddoedd hapus iawn yn Ysgol y Creuddyn. Fe ymddeolais yn 2005, yr un pryd â Dafydd Lloyd Jones, ac fe drefnwyd cyngerdd mawreddog i ffarwelio â ni.

Annie
Set Joseff

Joseff
Set Joseff

Olifar
Set Olifar

Daf a Gari O
*Dafydd Lloyd Jones a minnau'n chwarae'n wirion
ar ein diwrnod olaf yn Ysgol y Creuddyn.*

Mor rhadlon yw'r ddau gono – dau fabi
Mewn dau fib o Tesco,
'Y gwir yw,' medd Gari O,
'Rwyt wirion cyn riteirio.'

Mae'n debyg mai'r gred fod yna artist ym mhawb oedd sail fy nulliau addysgu, ac y gellir dysgu sgiliau gweledol. Am ryw reswm fe dderbynnir y ffaith fod siarad, darllen ac ysgrifennu'n sgiliau y gellir eu dysgu ond ar yr un pryd arddelir y syniad mai rhywbeth sy'n perthyn i ryw leiafrif galluog yw celf weledol. Mae'n wir nad pawb all ennill coron am bryddest, cadair am awdl neu fedal ryddiaith am nofel. Mae modd dysgu sgiliau celf weledol i safon dderbyniol yn union fel y sgiliau cyfathrebu eraill, ond nid oes disgwyl, wrth gwrs, i bawb gael y fedal aur am gelfyddyd gain yn yr Eisteddfod Genedlaethol.

Rwy'n hoffi meddwl, serch hynny, fod yr adran Gelf yn Ysgol y Creuddyn wedi rhoi sail dda i nifer o ddisgyblion sydd erbyn hyn yn artistiaid cydnabyddedig – artistiaid megis Luned Parri, Eleri Jones a Bedwyr Williams. Nid fy mod am funud am gymryd y clod i gyd, oherwydd bûm yn ffodus iawn o gael cydweithio ag athrawes gelf effeithiol iawn ym mherson Anwen Williams. Byddai arddangosfeydd ei disgyblion safon A yn gartrefol iawn mewn arddangosfeydd gradd. Rwy'n hyderus iawn yn canmol ei gwaith oherwydd yn ddiweddarach deuthum yn Swyddog Addysg Celf a Dylunio yn Adran Addysg y Cynulliad, pryd y sylweddolais ei bod ymysg yr athrawon gorau yng Nghymru.

Yn ystod deng mlynedd olaf fy nghyfnod dysgu bûm yn athro ymgynghorol Celf a Dylunio i Cynnal gan rannu fy amser rhwng y gwaith ymgynghorol ac addysgu'n ôl yn yr ysgol. Rwy'n credu y dylid mabwysiadu mwy o'r drefn hon lle mae ymgynghorwyr yn treulio peth o'u hamser o flaen dosbarthiadau. Rwy'n hoffi meddwl bod athrawon yn gwerthfawrogi fy nghynghorion a'm harweiniad oherwydd eu bod yn seiliedig ar brofiadau gwirioneddol yn ôl yn yr ysgol. Gofynnodd rhywun i Luned Pari unwaith am ei hatgofion am ei hathro celf Gareth Owen. Ei hymateb oedd, 'Roedd ganddo bob amser ddarn bach o baent wedi sychu ar flaen ei dei.' Rwyf wedi trysori'r atgof hwnnw erioed oherwydd ei fod yn siarad cyfrolau.

Addysg Drwy Gelf

Drwy fy ymwneud ag addysg Celf dros y blynyddoedd rwyf wedi dod i sylweddoli mai anifail cyfnewidiol iawn yw addysg. Ar y pryd mae unrhyw ddatblygiad newydd yn cyhoeddi gwawr newydd gyda'r honiad fod y gwirionedd a'r ffordd ymlaen wedi ei ganfod. Yn 2000 roeddwn yn arwain tîm o athrawon i ddatblygu'r Cwricwlwm Celf newydd a Chanllawiau i Athrawon ac ar y pryd yn credu ein bod wedi creu Cwricwlwm Celf effeithiol a chynhwysfawr. Ond ymhen ychydig flynyddoedd roedd adolygiad arall ar y ffordd a bugeiliaid newydd yn ceisio'u hiachawdwriaeth eu hunain. Serch hynny, rwy'n gobeithio y bydd rhai elfennau oesol a sylfaenol yn parhau'n rhan o'r cwricwlwm Celf. Er enghraifft – y cysyniad o 'addysg drwy gelf', y Cwricwlwm Cymreig a'r gwerthfawrogiad o natur lluniadu plant ifanc.

Dylid ystyried bod celf a dylunio'n faes sy'n bodoli mewn cydweithrediad â meysydd eraill yn y cwricwlwm ac yn gyd-destun i ddatblygu sgiliau megis datblygu meddwl, cyfathrebu, technoleg gwybodaeth a rhif. Caf yr argraff weithiau nad yw'r byd celf yn gwerthfawrogi natur trawsgwricwlaidd celf o fewn ysgolion. Yn aml ni chydnabyddir rôl y cwricwlwm celf o fewn ysgolion wrth drafod datblygiad celf yn gyffredinol. Mae gan gelf fel pwnc addysgol nodweddion gwahanol iawn i gelf yn y byd mawr y tu allan. Nid yw'r cysyniad o 'addysg drwy gelf' (Education Through Art) yn gysyniad newydd o bell ffordd. Dyna oedd teitl llyfr Herbert Read yn ôl ym mhedwardegau'r ganrif ddiwethaf. Cafodd y llyfr hwnnw ddylanwad anuniongyrchol arnaf drwy athroniaeth addysgol Tom Hudson yn ôl yn y coleg celf yng nghanol y chwedegau.

Y Cwricwlwm Cymreig

Mae gan bob maes profiad gyfrifoldeb dros gyflwyno agweddau o'r Cwricwlwm Cymreig ac mae Celf a Dylunio'n gyd-destun effeithiol i gyflwyno'r Cwricwlwm. Gwaith yr athro yw canfod ac adnabod y cyfleon a'u hintegreiddio i'r cynllun gwaith. Dylid ystyried y Cwricwlwm Cymreig fel elfen bwysig iawn yn y cwricwlwm yn gyffredinol, oherwydd dyma sydd yn mynd i roi lliw a pherthnasedd i'r cwricwlwm; hebddo gall fod yn gwricwlwm yn unrhyw wlad neu ddiwylliant yn y byd.

Dywedodd y dylunydd o Ffrancwr Roger Tallon, 'Yn fwy na dim, agwedd yw dylunio'. Hawdd fyddai addasu'r dyfyniad i ddweud 'Agwedd yw'r Cwricwlwm Cymreig'. Ni ddylid ei ynysu oddi wrth agweddau eraill o addysgu pynciau dylunio ond, yn hytrach, dal ar bob cyfle i'w gyflwyno mewn modd integredig.

Wrth egluro cysyniad mae tuedd yn aml i gyfeirio at artistiaid a dylunwyr enwog sydd yn y prif lif rhyngwladol, tra byddai cyfeirio at artistiaid a dylunwyr Cymreig yr un mor effeithiol. Yn wir gellir uniaethu llawer o gelf artistiaid a dylunwyr Cymreig â phrif fudiadau celf Ewrop neu gelf diwylliannau eraill. Mae rhai enghreifftiau ar y dudalen nesaf.

Mae codi ymwybyddiaeth o artistiaid a dylunwyr o Gymry yn sicr yn rhan greiddiol o gyflwyno'r Cwricwlwm Cymreig ond mae datblygu a chymhwyso gwybodaeth a dealltwriaeth ein plant a'n pobol ifanc o nodweddion diwylliannol, economaidd, amgylcheddol, hanesyddol a ieithyddol Cymru yn galw am ddiffiniad ehangach.

Dyma rai awgrymiadau o agweddau y gellid ystyried eu hintegreiddio i gynlluniau gwaith pynciau dyluniol i hyrwyddo ymwybyddiaeth o'r Cwricwlwm Cymreig.

Mae astudio celf diwylliannau eraill, boed yn hanesyddol neu'n ddaearyddol, yn gyfrwng i godi ymwybyddiaeth o wahanol fathau o gelf. Yn y cyswllt hwn, gall cyflwyno delweddau Celtaidd fod yr un mor effeithiol â chyflwyno celf frodorol o rannau

Cysyniadau	Artistiad Rhyngwladol	Artistiaid Cymreig
Symleiddio'r ffigwr dynol	Millet	Wil Roberts
Cyfansoddiad Clasurol	Claude Lorraine	Richard Wilson
Gwaith Mynegiannol	Jean-Michael Basquiat	Iwan Bala
Rhannol haniaethol	Wassily Kandinsky	Mary Lloyd Jones
Pobl	L S Lowry	Eleri Jones
Chwedloniaeth	William Blake	David Jones
Tirluniau	Paul Cezane	Kyffin Williams
Defnyddio llythrennau a rhifau	Jasper Johns	Ogwyn Davies
Cymysgu delweddau	Robert Rauchenberg	Ivor Davies
Techneg paent trwchus	Frank Auerbach	Peter Prendergast
Celf Symbolaidd	Celf Affricanaidd	John Meirion Morris
Pensaernïaeth fetafforig	Coubousier	Dyluniadau'r cynulliad
Cyfuniad deunyddiau	Cadair B5/Maecel Breuer	Crefft y Cowper
Arddulliau cyfleu pensaernïaeth	John Piper	Cefin Burgess

eraill o'r byd. Gellir hyd yn oed ddefnyddio delweddau Celtaidd i ategu cysyniad modern creu logo a ffurfioli ffurfiau.

Gellir cyfeirio at hen grefftau Cymreig fel dull o gyflwyno elfen hanesyddol Technoleg, neu gysyniadau megis gonestrwydd i ddeunydd, prydferthwch mewn ymarferoldeb, cyfuniad o ddeunyddiau mewn un gwrthrych, neu addurno cymhwysol.

Mae sicrhau cyfleon i ymateb i'w hamgylchfyd yn sicr yn rhan o ddiffiniad y Cwricwlwm Cymreig. Fe rydd y pynciau dyluniol gyfle i fynegi teimladau am yr amgylchfyd ac i'w wella. Yr amgylchfyd sydd yn symbylu llawer o artistiaid; does ond rhaid meddwl am dirluniau Kyffin Williams, Mary Lloyd Jones,

Peter Prendergast, capeli Cefin Burgess neu ddelweddau cartrefol Luned Rhys Parri, Eleri Jones a Shani Rhys James.

Gall ymateb i angen lleol gynnig mynediad i'r Cwricwlwm Cymreig a sicrhau cyd-destun effeithiol i ddatblygu sgiliau ymchwiliol, yn enwedig os yw'n ymwneud â chywain gwybodaeth leol. Deilliodd dyluniad logo Eisteddfod Bro Conwy 2000 o broses debyg. Roedd creu ymwybyddiaeth o natur yr Urdd fel mudiad a natur Bro Conwy fel ardal yn ystyriaethau wrth ddylunio'r logo.

Mae ymweld ag orielau lleol bob amser yn fodd i ddarparu mynediad i'r Cwricwlwm Cymreig yn enwedig os caiff y gwaith a wneir yn ôl yn yr ysgol ei seilio ar yr ymweliad. Yn yr un modd gall disgyblion elwa ar wasanaeth artist preswyl. Gall hyn arwain at fwy o ddealltwriaeth o ddulliau artistiaid eraill o weithio.

Gellir weithiau fentro i feysydd mwy arbrofol a dewis gweithio mewn cyd-destun sy'n gweddu i'r Cwricwlwm Cymreig. Un o'r meysydd hyn yw celf a barddoniaeth. Mae barddoniaeth Gymraeg yn frith o feirdd sydd wedi dod dan ddylanwad delweddau; Euros Bowen, James Nicholas a Gwyn Thomas i enwi dim ond tri. Ceir enghreifftiau hefyd o farddoniaeth a llenyddiaeth yn dylanwadu ar artistiaid; does ond rhaid meddwl am ddylanwad barddoniaeth Dylan Thomas ar yr artist Ceri Richards neu ddylanwad y Mabinogi ar beintiadau Ivor Davies. Mae'r arferiad o gael bardd i ymateb i weithiau celf yn yr Eisteddfod wedi hen ennill ei blwy erbyn hyn. Gall dylunio prosiect mewn cyd-destun o'r fath ehangu sgiliau llythrennedd y disgyblion.

Cyd-destun arall sy'n haeddu sylw ac sydd yn cyffwrdd â llythrennedd yw dylunio dwyieithog. Gall dylunio dwyieithog orwedd yn gyfforddus iawn yng nghynlluniau gwaith pynciau dyluniol. Yn yr hinsawdd ddwyieithog sydd ohoni heddiw, dylai'r disgyblion ystyried dwyieithrwydd fel rhan o anghenion y briff pan fo hynny'n briodol, boed y dyluniad yn boster, arwydd, paced neu hysbyseb. Mae digonedd o enghreifftiau o ddylunio dwyieithog, yn enwedig yn y sector cyhoeddus, gyda nifer cynyddol o sefydliadau preifat yn gweld gwerth ynddo. Gobeithio y bydd y genhedlaeth nesaf o ddylunwyr yng Nghymru'n ystyried dwyieithrwydd fel rhan naturiol o'r broses ddylunio.

Mae'r ffaith fod y Cwricwlwm Cymreig yn elfen yn y cwricwlwm yn arwyddocaol, oherwydd mae'n cydnabod mai un o swyddogaethau addysg yw trosglwyddo ymwybyddiaeth o draddodiad a threftadaeth eu gwlad i'r genhedlaeth sy'n codi. Mae'r drafodaeth ynglŷn â beth yw celf a dylunio Cymreig i'w chlywed ers blynyddoedd bellach. A oes y ffasiwn beth? A ellir ei gysylltu ag arddull arbennig? Dyma drafodaeth y dylai pawb sy'n addysgu pynciau dyluniol ymddiddori ynddi. Un o'r cyfraniadau mwyaf diddorol i'r drafodaeth yw'r un o eiddo Iwan Bala yn y llyfr *Certain Welsh Artist*. Yn ei gyflwyniad o dan y pennawd ar Estheteg Warcheidiol ('Custodial Aesthetics') mae'n nodi perthynas datblygiad diwylliannol yn Affrica â datblygiad diwylliannol Cymru. Cyfeiria at bedwar cyfnod yn natblygiad diwylliant. Mae'r cyfnod cyntaf yn tarddu o gyfnod traddodiadol pur. Daw'r ail gyfnod gyda chreu trefedigaethau pryd y caiff y diwylliant cynhenid ei foddi gan ddiwylliant y trefedigaethwyr. Y trydydd cyfnod yw un o wrthsafiad diwylliannol a gwleidyddol lle ceisir ailafael yn yr hyn a ystyrir yn werthoedd traddodiadol. Daw dyfodiad y pedwerydd cyfnod yn sgil sicrhau rhyddid gwleidyddol a diwylliannol. Golyga hyn nad oes raid mwyach i artistiaid a dylunwyr orfodi eu hunain i ail-ganfod eu treftadaeth ond yn hytrach greu celfyddyd newydd wedi'i selio ar ddehongliad o'r presennol yng ngoleuni ymwybyddiaeth o'r gorffennol.

Fe gyfyd y cyfan y cwestiwn - Ble mae celfyddyd Cymru heddiw? Tybed a oes cynrychiolaeth o'r pedwar cyfnod yn bodoli? Yn sicr mae llawer o'n hartistiaid blaenllaw yn arddangos nodweddion o'r 'estheteg warcheidiol' y cyfeiria Iwan Bala ati ac yn sicr ni chysylltir hwy gan arddull ond yn hytrach gan y gred ym mhwysigrwydd nodweddion treftadaeth eu diwylliant mewn perthynas â chynnwys eu dyluniad. I'r meddwl daw artistiaid megis Iwan Bala ei hun, John Meirion Morris, Ivor Davies, Ogwyn Davies a Catrin Williams.

Nid yw'r drafodaeth ynghylch beth yw dylunio Cymreig yn newydd i benseiri Cymru ychwaith. Y pensaer a'r Athro Dewi Prys Thomas yn anad neb fu'n gyfrifol am godi ymwybyddiaeth o bensaernïaeth Gymreig. Credai mai'r unig draddodiad gwirioneddol Gymreig oedd adeiladau brodorol cefn gwlad Cymru. Nid eu harddull oedd yn bwysig eithr eu defnyddioldeb a'r berthynas â'r amgylchedd. Credai y dylai penseiri Cymru greu pensaernïaeth oedd yn gyfan gwbwl gyfoes ond ar yr un pryd yn ymarferol, yn addas ac yn glynu wrth egwyddorion ac edmygai yn yr hen ffermdai a'r tai allan. Tybed a fyddai'r cynlluniau cyffrous modern a gyflwynwyd fel syniadau ar gyfer adeilad y Cynulliad wedi ei blesio.

Mae'n bwysig osgoi'r argraff mai rhywbeth hanesyddol traddodiadol yw'r Cwricwlwm Cymreig a chofio ei fod yn ogystal yn rhywbeth byw sy'n berthnasol i'r datblygiadau mwyaf modern. Wedi'r cwbwl, roedd y dyluniadau a gynigiwyd ar gyfer adeilad y Cynulliad yn adnodd bendigedig i gyflwyno'r cysyniad o ddylunio metafforig. Gwelai'r penseiri eu cynlluniau yn nhermau metafforau, a llawer ohonynt yn rhai Cymreig. Cafodd un o'r cynlluniau y llysenw 'Y Ddraig' oherwydd ei fod yn ymdebygu i'r ddraig goch, tra roedd un arall yn cynnwys map o Gymru fel nodwedd, a thryloywder i gynrychioli'r wleidyddiaeth newydd yw prif nodwedd yr adeilad a wireddwyd. Mae'r pynciau dylunio'n gyfforddus iawn wrth gyflwyno agweddau o'r Cwricwlwm Cymreig a gellir cyflawni hyn mewn modd integredig a naturiol.

'Agwedd yw'r Cwricwlwm Cymreig.'

Datblygiad Lluniadu Plant

Agwedd arall y mae gen i ddiddordeb ynddi yw datblygiad lluniadu plant. Sawl gwaith y daeth plentyn bychan atom i ddangos ei luniad diweddaraf a ninnau'n ymateb gyda rhyw sylw megis 'neis iawn', ond yng nghefn ein meddwl yn ei weld fel ymgais amrwd i gyfleu'r byd o'n cwmpas? Mae ymateb o'r fath yn deillio o'r ffaith ein bod yn gosod llinyn mesur naturiolaidd arnynt, y math o gelf a gyrhaeddodd ei benllanw gydag artistiaid megis Raphael, Michelangelo a Leonardo da Vinci yn ystod cyfnod y dadeni yn yr Eidal. Roedd hyd yn oed addysgwyr arloesol a goleuedig megis Dr Maria Montessori ar ddechrau'r ugeinfed ganrif yn ystyried lluniadau naturiol plant yn 'gyntefig ac erchyll'. Gwerthfawrogwn erbyn heddiw fod gan gelfyddyd plant iaith weledol unigryw sy'n llawn dyfeisgarwch. Fe ddywedodd Picasso unwaith, 'Fe gymerodd bedair blynedd i mi ddysgu peintio fel Raphael, ond fy holl fywyd i beintio fel plentyn.'

Mae lluniadau plant ifanc yn ganlyniad i arsylwi manwl iawn; nid sylwi ar y byd o gwmpas yn y ffordd arferol ond yn hytrach sylwi ar y marciau, y llinellau a'r ffurfiau sydd o'u gwneuthuriad hwy eu hunain. O edrych yn fanwl, mae'r broses hon yn dechrau yn y sgribls cyntaf – marciau sydd i lygad oedolyn yn amrwd a direswm. Llyfr gwych sydd yn olrhain datblygiad lluniadu plant yw Rhoda Kellogg. Pan gafodd Elin y ferch ei geni, fe ddechreuais gadw ei lluniadau, gyda'r bwriad o osod pob cyfnod o'i datblygiad yn gyfochrog â damcaniaethau Rhoda Kellogg. Roedd lluniadau Elin yn adlewyrchu dadansoddiadau Rhoda Kellogg i'r dim, ac fe gadarnhaodd hynny fy hyder yn ei damcaniaethau.

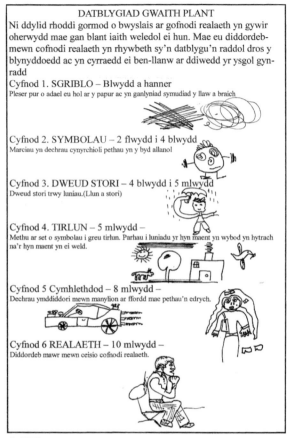

DATBLYGIAD GWAITH PLANT

Ni ddylid rhoddi gormod o bwyslais ar gofnodi realaeth yn gywir oherwydd mae gan blant iaith weledol ei hun. Mae eu diddordeb mewn cofnodi realaeth yn rhywbeth sy'n datblygu'n raddol dros y blynyddoedd ac yn cyrraedd ei ben-llanw ar ddiwedd yr ysgol gynradd

Cyfnod 1. SGRIBLO – Blwydd a hanner
Pleser pur o adael eu hol ar y papur ac yn ganlyniad symudiad y llaw a braich

Cyfnod 2. SYMBOLAU – 2 flwydd i 4 blwydd
Marciau yn dechrau cynyrchioli pethau yn y byd allanol

Cyfnod 3. DWEUD STORI – 4 blwydd i 5 mlwydd
Dweud stori trwy luniau.(Llun a stori)

Cyfnod 4. TIRLUN – 5 mlwydd –
Methu ar set o symbolau i greu tirlun. Parhau i luniadu yr hyn maent yn wybod yn hytrach na'r hyn maent yn ei weld.

Cyfnod 5 Cymhlethdod – 8 mlwydd –
Dechrau ymddiddori mewn manylion ar ffordd mae pethau'n edrych.

Cyfnod 6 REALAETH – 10 mlwydd –
Diddordeb mawr mewn ceisio cofnodi realaeth.

Celf Plant

Taflen a ddefnyddiais mewn cwrs ar Ddatblygiad Celf Plant

Mae'r dyfeisgarwch a ddangosir gan blant ifanc wrth luniadu yn wyrthiol, oherwydd gallant fynegi syniadau cymhleth iawn gyda nifer cyfyngedig o farciau, llinellau a ffurfiau. Gellir ei gymharu â datblygiad iaith lle mae'r plentyn yn gelfydd iawn yn mynegi ei deimladau gyda geirfa gyfyngedig.

Datblygiad gwaith Elin

DATBLYGIAD GWAITH ELIN

GWAITH GWREIDDIOL	DANSODDIAD	SYLWADAU
SGRIBLO		Mwynhau gadael ei hôl ar y papur o ganlyniad i symudiad braich a llaw. Mae'r sgribl gwreiddiol i lygad oedolyn yn ymddangos ar yr olwg gyntaf yn wyllt a di reswm ond o'i ddadansoddi mae iddo batrwm pendant. Mae'r clystyrau o linellau wedi ei dosbarthu'n gyson dros y lluniad.
SYMBOLAU		Yma, mae ei marciau yn dechrau cynyrchioli y byd o gwmpas ond mae'n defnyddio nifer gyfyngedig o linellau a marciau i greu y ffigwr. Marciau sy'n deillio o arsylwi manwl ar ei lluniadau ei hun hyd yma.
DWEUD STORI		Dechrau defnyddio ei lluniadau i ddweud stori (Dad a mam a'i chwaer a hithau yn y gwely) ond eto yn defnyddio nifer gyfyngedig o farciau a llinellau. Sylwer fod y gwely yn llenwi'r papur ac nid oes unrhyw arwydd o berspectif. Mae lluniadau plant bach yn ymwneud ar hyn maent yn ei wybod yn hytrach na'r hyn maent yn ei weld.
TIRLUN		Erbyn hyn mae'n meddu ar set o symbolau i greu tirlun ond yn parhau i luniadu yr hyn mae'n ei wybod yn hytrach na'r hyn mae yn ei weld. Sylwer fod yr un ffurf y cynyrchioli breichiau'r ffigyrau a drws y tŷ.

Taflen yn cysoni gwaith Elin â damcaniaethau Rhoda Kellogg.

Colli Llygad

Yn Hydref 2010 fe gollais fy ngolwg yn fy llygad dde a bûm yn Ysbyty Athrofaol Caerdydd am chwe wythnos. Roedd hyn yn brofiad eithaf trawmatig o ystyried na thywyllais yr un ysbyty erioed oherwydd fy anhwylder fy hun. Mae'n debyg mai'r ysgytwad mwyaf i rywun oedd wedi mwynhau iechyd erioed oedd y sylweddoliad o'i feidroldeb ef ei hun. Beth bynnag, rhaid oedd symud ymlaen, addasu a theimlo'n ddiolchgar fy mod yn dal yma i adrodd y stori. Gofynnir imi yn aml a yw wedi effeithio ar fy ngwaith celf, a'r ateb yw, dwi ddim yn siŵr. Mae'n wir fod fy mhrosiectau celf ers hynny'n gwneud defnydd helaeth o gyfrifiaduron, ond roeddwn wedi dechrau gwneud defnydd o gyfrifiaduron fel cymorth i ddylunio cyn hynny. Rwy'n parhau serch hynny i luniadu'n hollol ddilyffethair yn fy llyfr braslunio, ond rwyf wedi sylwi ar wahaniaethau bychain yn y ffordd rwy'n gweld y byd. Gwnaeth i mi sylweddoli bod angen dwy lygad i werthfawrogi tri dimensiwn yn iawn. Tueddaf i weld y byd mewn dau ddimensiwn. Gall hyn achosi rhywfaint o rwystredigaeth wrth geisio gwerthfawrogi gweithiau celf sydd ag elfennau o gerfwedd neu wead cryf ynddynt. Y rhyfeddod yw bod artistiaid megis Paul Gauguin ar droad y ganrif ddiwethaf wedi disgyblu eu hunain i weld y byd mewn dau ddimensiwn. Roedd pob rhan o'u lluniau'n ffurfiau fflat ar wyneb y gynfas – datblygodd hyn yn ddiweddarach i fod yn gelf haniaethol bur oedd yn delio'n benodol ag wyneb y gynfas.

Pum Diwrnod o Ryddid
*Golygfa allan o Pum Diwrnod o Ryddid gyda
Barri Jones yn chwarae rhan Richard Jarman.*

Peintio'r Llwyfan

Un o brif atyniadau'r theatr i mi yw ei fod yn fan cyfarfod i'r holl gelfyddydau - celfyddyd yr actor, celfyddyd y cyfarwyddwr, celfyddyd yr awdur a'r sgriptiwr ac, yn achos dramâu cerdd, celfyddyd y cerddor a'r bardd, a'r olaf ond nid y lleiaf, celfyddyd yr artist a'r cynllunydd a'r gelfyddyd honno wedi'i rhannu'n is-adrannau – y set, y golau a'r gwisgoedd.

Cwmni Theatr Maldwyn

Un o'r profiadau rwy'n falch imi gael bod yn rhan ohono oedd fy ymwneud â Chwmni Ieuenctid Maldwyn fel cynllunydd. Cefais y fraint o weithio gyda Penri Roberts, Linda Gittins a'r diweddar Derec Williams. Bûm yn gynllunydd i bump o sioeau'r cwmni – *Y Mab Darogan*, *Y Cylch*, *Y Llew a'r Ddraig*, *Pum Diwrnod o Ryddid* a *Heledd*, yn ogystal ag *Er Mwyn Yfory* yn Eisteddfod Genedlaethol Meirion 1997.

Byddwn yn tynnu coes Penri, Linda a Derec yn aml, gan honni mai nhw oedd clustiau'r cwmni a minnau ei lygaid. Mae athrylith Linda Gittins yn hysbys i bawb. Llwyddodd i gyfansoddi cerddoriaeth gofiadwy sydd erbyn hyn yn rhan o isymwybod y gynulleidfa Gymraeg. Mae Penri Roberts wrth gwrs yn brifardd ac wedi cario ymlaen â thraddodiad y cwmni i'r genhedlaeth nesaf drwy sefydlu Ysgol Theatr Maldwyn. Yn ôl ei gyfaddefiad o ei hun, llwyddiant ei bartneriaeth â Derec Williams oedd y ffaith eu bod mor wahanol – Derec yn gymeriad creadigol, byrbwyll ar adegau, ac yntau'n llawer mwy myfyriol.

Colled aruthrol oedd marwolaeth Derec mor ifanc, y cymeriad brwdfrydig, llawn cynlluniau, symbylwr ac anogwr heb ei ail. Daeth y cyfan i ben yn ystod

Eisteddfod Genedlaethol yr Urdd Meirion 2014:

> Tŷ Der oedd llawn baneri, a'u lliwiau
>   Yn llawen gyhoeddi
>   Ei hwyl wrth ysbrydoli
>   Cymry ein hyfory ni.

Roedd cyrraedd y theatr ben bore a cherdded ar y llwyfan gwag heb ochrau iddo yn brofiad cynhyrfus iawn. Mae rhyw arogl arbennig iawn i theatrau gwag: rhyw gyfuniad o arogleuon trydanol, y llenni du trwchus ac effeithiau rhew sych y sioeau blaenorol fel pe baent yn parhau i hofran yn yr awyr. Hogia'r set, y golau a'r sain oedd y cyntaf i mewn a'r olaf allan, fel yr hoffem atgoffa aelodau eraill y cwmni'n aml. Gallwn fod yn hollol dawel fy meddwl y byddai Arwyn T'isa yn cyrraedd unrhyw funud gyda'i drelar a'r set wedi ei gosod arno dan darpwlin enfawr i'w harbed rhag pob tywydd. Roedd yn drelar arbennig o hir wedi ei wneud o shasi hen garafán. Mae'n siŵr fod ei lwythi wedi troi ambell i ben wrth iddynt deithio ar lonydd cefn Sir Drefaldwyn yn oriau mân y bore oherwydd roedd yn ymdebygu i cruise missile.

Yn T'isa, cartref Arwyn uwchben Llanfair Caereinion, y storiwyd y setiau rhwng y sioeau, a gallwn yn hawdd ei ddychmygu'n cychwyn oddi yno ben bore gan y bûm yno lawer gwaith yn addasu rhyw set neu'i gilydd. Roedd croeso cynnes Cymreig i'w gael yn T'isa bob amser, gydag Emlyn tad Arwyn yn dangos diddordeb mawr yn y gweithgareddau a Llinos ei fam yn paratoi'r gacen sponge. Tybiais unwaith wrth ymadael i mi weld yng nghornel fy llygad ddarn o set *Pum diwrnod o Ryddid* yn llenwi bwlch mewn clawdd – dyna beth oedd ailgylchu.

Ysywaeth, mae aelwyd T'isa fel yr oedd wedi peidio â bod. Bu gofal Arwyn dros ei rieni'n gymeradwy iawn ac fe gollwyd Arwyn yn llawer rhy gynnar. Roedd ei gyfraniad i'r diwylliant Cymraeg ym Maldwyn a thu hwnt yn chwedlonol ac yn cael ei werthfawrogi gan gynifer o bobl fel yr amlygwyd gan y cannoedd a fynychodd ei wasanaeth coffa yn Llanfair.

> Arwyn
> Y dyn swnllyd ei anian, yn dawel
> Adawodd y llwyfan,
> I gof cymdogaeth gyfan
> Daw'r modd chwaraeodd ei ran.

Cysur arall i mi wrth gyrraedd y theatr oedd gwybod bod fy nghyfaill o saer, Alun Williams, yn y cefnau'n gwisgo'i wasgod dal offer yn barod i godi'r set gyda'i 'seidcic' John Hughes Jones wrth ei ochr. Roedd meddwl ymarferol a threfnus Alun i ddatrys problemau wrth addasu'r set i wahanol leoliadau yn amhrisiadwy – wedi'r cwbwl, dim ond artist oeddwn i. Ef hefyd oedd adeiladydd y set ac roedd ganddom ddealltwriaeth ryfedd. Gallai ddehongli fy nghynlluniau a gwireddu fy syniadau i'r dim. Roedd hyn yn fwy o syndod fyth gan na ellid disgrifio fy nghynlluniau fel lluniadau technegol o bell ffordd.

Roeddwn yn mwynhau'r gwaith o gario darnau o'r set i'r llwyfan a'i gweld yn dod yn fyw o flaen fy llygaid. Roedd y cyferbyniad rhwng y darnau marw o bren oedd ar drelar Arwyn neu fan Alun a'r bywyd oedd yn eu meddiannu pan oedd y goleuadau a phopeth yn eu lle ar y llwyfan bob amser yn fy nghyfareddu.

Roedd yn rhaid, wrth gwrs, gadw llygad ar y costau; wedi'r cyfan, o safbwynt ariannol, cwmni amatur oedd Cwmni Theatr Ieuenctid Maldwyn, ond cwmni oedd yn arddel safonau proffesiynol, fel y tystiodd Cymru benbaladr. Lawer tro wrth fynd heibio i Venue Cymru yn Llandudno byddwn yn taflu golwg genfigennus ar y loriau anferth a gludai'r set i ryw sioe neu'i gilydd, a hwythau wedi bod yno rai dyddiau – oedd yn awgrymu fod gan hogia'r set ddiwrnodau i'w chodi. Er hynny roedd yr elfen gyllidol gyfyng, y ffaith fod yn rhaid i'r cyfan i gael ei gludo ar drelar Arwyn neu yn fan Alun, a bod ond ychydig oriau i'w chodi, yn ychwanegu at sialens y cynllunio.

Rhoddodd y cyfle i gynllunio a pheintio setiau ddimensiwn arall i'm gwaith creadigol. Ystyriwn hyn fel estyniad naturiol i'm celf bersonol sydd erioed wedi bod yn gysyniadol ei naws. Rhoddai gyfle i mi hefyd weithio ar raddfa oedd weithiau'n ymylu ar fod yn bensaernïol.

Mae ffurf y ddrama gerdd yn apelio ataf, oherwydd nid yw'n ffurf naturiolaidd o gelfyddyd

Fan Alun Y *pren marw set 'Y Llew a'r Ddraig' yng nghefn y fan.*

Set *'Y Llew a'r Ddraig' yn dod yn fyw o dan y goleuadau.*

Y Mab Darogan

Hanes Owain Glyndŵr, ei ddyheadau a'i freuddwyd am Gymru rydd a gafwyd yn *Y Mab Darogan*. Roedd y cyflwyniad yn ymwneud â'r prif ddigwyddiadau yn ei fywyd, ei gymeriad cadarn a'r frwydr fewnol rhwng ei gyfrifoldeb at ei bobl a'i deulu.

Clawr rhaglen 'Y Mab Darogan'
Gan fy mod yn gyfrifol am waith graffigol y cynyrchiadau'n ogystal â'r set roedd modd creu undod gweledol rhwng y cyfan.

Dyma fy mhrosiect cyntaf ac roedd agweddau o gynllun y set hon yn mynd i ddylanwadu ar sioeau eraill oedd i ddod. Yn gyntaf roedd yn rhaid cael syniadaeth y tu ôl i'r cynllun; hefyd roedd yn rhaid fod

modd ei haddasu i leoliadau o wahanol faint. Goresgynnais y broblem hon drwy wahanu darnau o'r set gan adael gwagle sylweddol rhyngddynt. Yn aml byddai un ddelwedd wedi ei gosod ar draws y cyfan gan wneud defnydd o allu rhyfeddol y llygad dynol i gysylltu'r cyfan ar waethaf y gwagleoedd.

Cefais y syniad o ddefnyddio baneri wedi edrych ar luniau Alan Sorrell o neuaddau mawr cestyll. Yn ei argraffiadau artist roedd baneri anferth yn crogi ar y muriau. Roeddynt hefyd yn ddyfais effeithiol i newid golygfeydd o du mewn i'r llys i'r tu allan. Defnyddiwyd y ddelwedd o seren wib Halley fel delwedd ganolog i'r set. Yn ôl traddodiad fe ddechreuodd comed Halley ddisgyn yn yr awyr pan ddechreuodd Owain Glyndŵr (y Mab Darogan) golli ei ymgyrchoedd.

Yn sioe *Y Mab Darogan* rhoddwyd tipyn o gyfrifoldeb i'r cast newid y golygfeydd, ond yn y sioeau oedd i ddilyn, y nod oedd cynllunio setiau nad oedd angen eu newid cyn belled ag yr oedd hynny'n bosibl.

Sgraffwrdd Mab Darogan
Eglurlun sgraffwrdd a ddefnyddiais yng nghynllun clawr record Y Mab Darogan

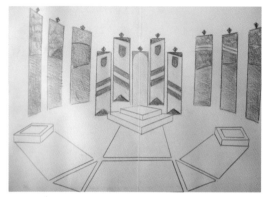

Cyfuniad
Roedd y baneri'n caniatáu gwahanol gyfuniadau i awgrymu amrywiol leoliadau.

Clawr record Y Mab Darogan

Syniadau Cychwynnol
Y syniadau cychwynnol yn seiliedig ar eglurluniau Alan Sorrell

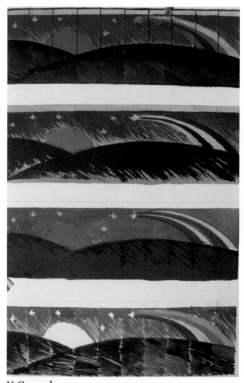

Y Gomed
Y syniad o gael Comed Halley ar y gefnlen yn datblygu.

Baneri 2
Y baneri'n cyfuno i greu un ddelwedd.

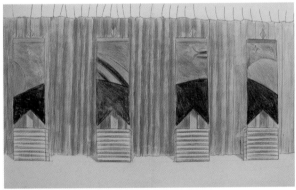

Baneri
Ail drefnu'r baneri i greu baneri gyda chynllun unigol arnynt.

Addasiad Teledu
Addaswyd y set ar gyfer y teledu a daeth y llawr yn rhan bwysig o'r set.

Addasiad Teledu 2
Addasiad ar gyfer y teledu.

Tudalen o'r rhaglen

Y gomed yn y cefndir
Y syniadau wedi'u gwireddu ar lwyfan Eisteddfod Genedlaethol Maldwyn a'r cyffiniau 1981 gyda chomed Halley yn y cefndir.

Y Baneri
Y baneri wedi'u troi i gyfleu tu mewn y llys.

Cartŵn

Cartŵn a gyflwynais i'r cast ar ddiwedd taith Y Mab Darogan. Yn serennu ynddo mae Penri yn canu'r geiriau 'Ai dyma'r cwbwl sydd ar ôl?' gyda thyrfa o'i gwmpas ar y llwyfan. Derec yn cynnal cyngerdd answyddogol ar brynhawn cyn y perfformiad ym marchnad Caerfyrddin, Linda yn hwyr i un perfformiad oherwydd fod defaid ar y ffordd, Ned Harris y trefnydd yng ngwisg y 'Llais Gwyn' yn cyhoeddi ei fod wedi trefnu brechdanau 'chicken salad' a Meurwyn Williams
y cynhyrchydd gyda'i hoff ddywediad wrth gymell y casti berfformio'n dda – 'Cofiwch y bydd yna lond gwlad o Mrs Jonsys yma heno' – ond roedd peth amheuaeth ynglŷn â'i sgiliau dreifio fan. Fe adawa i'r boi bach sydd dan y bwrdd yn canu 'Egwyddorion' i'r cof a'r dychymyg.

Y Cylch

Stori wreiddiol am glwb nos yn nawdegau'r ugeinfed ganrif oedd *Y Cylch*. Y cylch oedd prif elfen y cyflwyniad lle gwelwyd seren ifanc newydd y clwb yn araf ddisodli'r ferch a fu'n brif atyniad i'r clwb am rai blynyddoedd. Mae'r ferch newydd hefyd yn diorseddu'r llall yng nghalon rheolwr y clwb – ond mae rheolwr newydd yn cymryd ei le yntau ymhen amser. Mae'r clwb a'r perchnogion yn aros, ond mynd a dod mewn cylch yw hanes pawb arall.

Y symbyliad i set *Y Cylch* oedd y gair 'cylch' ei hun. Yn wir dechreuodd y cynllun ei daith fel lluniad bras ar ochr tudalen y sgript. Roedd pob rhan o'r set wedi'i seilio ar y cylch, y rhosyn ar y nenfwd, y cylch a'r cefndir, y llieiniau bwrdd a'r ffurfiau ar y llawr. Cadwyd hefyd at y syniad cychwynnol o luniad a datblygodd y set i efelychu lluniad anferth du a gwyn. Roedd set ddu a gwyn yn caniatáu newid yr awyrgylch ar amrantiad trwy daflu golau o liw gwahanol arni. Gwnaethpwyd defnydd helaeth o wagle rhwng darnau o'r set. Cadwyd hefyd at y syniad o derfyn tonnog i dop y set fel yn y lluniad bras cychwynnol.

Clawr rhaglen 'Y Cylch'

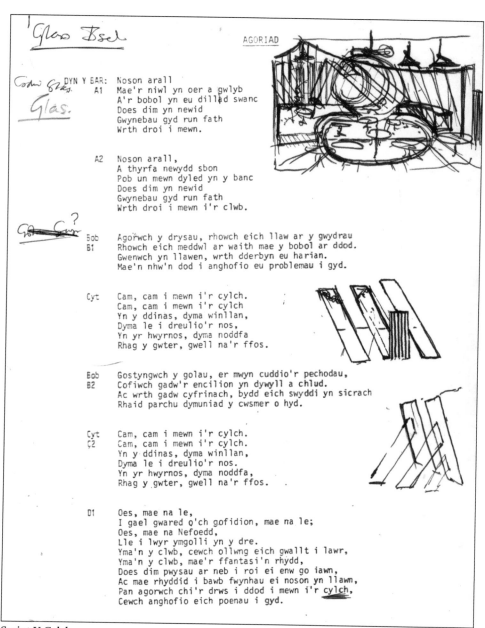

'Glas Isel

AGORIAD

Codw Glas.
Glas.

DYN Y BAR: Noson arall
A1　Mae'r niwl yn oer a gwlyb
　　A'r bobol yn eu dillad swanc
　　Does dim yn newid
　　Gwynebau gyd run fath
　　Wrth droi i mewn.

A2　Noson arall,
　　A thyrfa newydd sbon
　　Pob un mewn dyled yn y banc
　　Does dim yn newid
　　Gwynebau gyd run fath
　　Wrth droi i mewn i'r clwb.

Bob　Agorwch y drysau, rhowch eich llaw ar y gwydrau
B1　Rhowch eich meddwl ar waith mae y bobol ar ddod.
　　Gwenwch yn llawen, wrth dderbyn eu harian.
　　Mae'n nhw'n dod i anghofio eu problemau i gyd.

Cyt　Cam, cam i mewn i'r cylch.
　　Cam, cam i mewn i'r cylch
　　Yn y ddinas, dyma winllan,
　　Dyma le i dreulio'r nos,
　　Yn yr hwyrnos, dyma noddfa
　　Rhag y gwter, gwell na'r ffos.

Bob　Gostyngwch y golau, er mwyn cuddio'r pechodau,
B2　Cofiwch gadw'r encilion yn dywyll a chlud.
　　Ac wrth gadw cyfrinach, bydd eich swyddi yn sicrach
　　Rhaid parchu dymuniad y cwsmer o hyd.

Cyt　Cam, cam i mewn i'r cylch.
C2　Cam, cam i mewn i'r cylch.
　　Yn y ddinas, dyma winllan,
　　Dyma le i dreulio'r nos.
　　Yn yr hwyrnos, dyma noddfa,
　　Rhag y gwter, gwell na'r ffos.

D1　Oes, mae na le,
　　I gael gwared o'ch gofidion, mae na le;
　　Oes, mae na Nefoedd,
　　Lle i lwyr ymgolli yn y dre.
　　Yma'n y clwb, cewch ollwng eich gwallt i lawr,
　　Yma'n y clwb, mae'r ffantasi'n rhydd,
　　Does dim pwysau ar neb i roi ei enw go iawn,
　　Ac mae rhyddid i bawb fwynhau ei noson yn llawn,
　　Pan agorwch chi'r drws i ddod i mewn i'r cylch,
　　Cewch anghofio eich poenau i gyd.

Sgript Y Cylch
Braslun cychwynnol ar ochr tudalen o'r sgript. Roedd y syniad gwreiddiol yn agos at y cynllun terfynol.

Braslun 1
Y braslun gwreiddiol yn cael ei ffurfioli.

Braslun 3
Brasluniau eraill

Braslun 2
Brasluniau eraill

Du a gwyn
Lluniad o'r syniad terfynol.

Y Cylch *Lluniau o'r rhaglen.*

Y Cylch *Lluniau o'r rhaglen.*

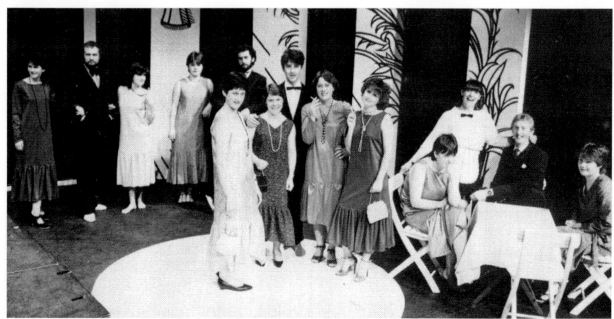

Y Cylch *Lluniau o'r rhaglen.*

Y Llew a'r Ddraig

Drama gerdd wedi'i lleoli yng nghyfnod y canol oesoedd yn adrodd stori am helyntion tref ddienw rywle yng Nghymru oedd *Y Llew a'r Ddraig*. Y symbyliad cychwynnol ar gyfer cynllun y set oedd gwaith yr artist Bruegel o'r Iseldiroedd. Mae ei beintiadau'n portreadu gwerin bobl yn eu bywydau bob dydd. Un o nodweddion ei beintiadau oedd ei liwiau brown cynnes, a defnyddiwyd y math yma o liwiau'n helaeth yn y set. Yn wir, seiliwyd dillad cymeriadau'r sioe ar y math o ddillad a wisgid gan gymeriadau a bortreadodd Bruegel yn ei beintiadau. Golygai hyn fod yna berthynas agos weladwy rhwng y set a'r cymeriadau. Pwrpas y set oedd creu cefndir i'r cymeriadau, yn union fel mewn peintiad.

Clawr rhaglen 'Y Llew a'r Ddraig'

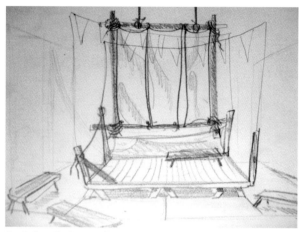

Syniadau Cychwynnol

Datblygu'r syniad
*Y syniad yn datblygu ond yr adeiladwaith braidd yn gymhleth
i'w godi mewn amser byr.*

80   *Syniad terfynol gyda ffurfiau ar y llawr yn rhan annatod o'r set. Gwelir yma ddyfais crogi unedau o'r set i greu uchder.*

Y Llew a'r Ddraig 1
Y gwisgoedd a'r set yn gweddu. Roedd angen cydweithio agos gyda'r cynllunydd gwisgoedd Medi James.

Y Llew a'r Ddraig 2
Roedd y set yn gweithredu fel cefndir yn union fel peintiad.

Y Llew a'r Ddraig 3
Golygfa o'r Llew a'r Ddraig.

Pum Diwrnod o Ryddid

Roedd *Pum Diwrnod o Ryddid* yn dweud hanes Siartwyr Llanidloes yn herio'r llywodraeth dros hawliau'r dosbarth gweithiol. Crisialwyd holl obeithion a dymuniadau'r gweithiwr yng ngofynion y Siarter. Llwyddodd y Siartwyr i reoli tref Llanidloes am bum niwrnod, ond gan fod y milwyr ar eu ffordd, bu'n rhaid i arweinwyr y mudiad ddianc. Llwyddwyd i ddal y rhan fwyaf ohonynt ac fe'u dedfrydwyd yn Llys y Trallwng - rhai i garchar, ac eraill i alltudiaeth. Methiant fu'r gwrthdaro ond fe heuwyd yr had a gwelwyd ffrwyth yr aberth gan y genhedlaeth nesaf.

Symbylwyd cynllun y set gan bensaernïaeth ddu a gwyn canolbarth Cymru ac yn fwyaf arbennig Neuadd y Farchnad yng nghanol tref Llanidloes. Ar wahân i greu naws yr ardal a'r cyfnod roedd y set yn ffordd ymarferol o greu balconi o gryn uchder. Roedd y strwythur agored, gyda lliain rhwyllog yn llenwi'r bylchau, yn ei gwneud hi'n bosibl newid lliw'r cefndir gan wneud y set yn dryloyw neu'n solet gyda chyfeiriad y golau.

PUMP DIWRNOD O RYDDID

gan DEREC WILLIAMS, LINDA MILLS, PENRI ROBERTS.

CWMNI THEATR IEUENCTID MALDWYN

Clawr rhaglen 'Pum Diwrnod o Ryddid'
Addasiad o gynllun rhaglen Pum Diwrnod o Ryddid ar gyfer Ysgol Theatr Maldwyn.

Llanidloes
Neuadd farchnad Llanidloes. Seiliwyd cynllun y set ar adeilad neuadd farchnad Llanidloes.

Cynllun y set
Braslun o'r cynllun

Cynllun golygfa

83

Y Bonedd
Y golau'n newid yr awyrgylch yng ngolygfa dawns y bonedd

Y Bonedd 2

Golygfa 1
*Y set yn dryloyw a'r golau glas yn awgrymu golygfa
yn yr awyr agored.*

Golygfa 2
Glandon Lewis yn chwarae rhan Marsh a'r llinellau fertigol a llorweddol bras yn cyfrannu at y darlun.

Golygfa 3

Golygfa 4

Heledd

Hanes tywysoges ifanc a orfodwyd i briodi ei gŵr Brenin Mersia oedd *Heledd*. Er mwyn sefydlu heddwch rhwng Powys a Mersia, mae Heledd yn priodi Penda, Brenin Mersia – ond mae ei chalon yn hiraethu am ei chartref, Pengwern, a'i brawd Cynddylan. Ymhen amser mae'n dianc o afael ei gŵr ac yn achosi galanas erchyll.

Roedd y ddrama gerdd yn seiliedig ar gylch o englynion a elwir yn Ganu Heledd a ysgrifennwyd tua'r 10fed ganrif – englynion a roddwyd yng ngenau Heledd ac sy'n disgrifio Llys Pengwern ar ôl y gyflafan.

'Stafell Gynddylan ys tywyll heno
Heb dân, heb wely,
Wylaf wers, tawaf wedy'.

Oherwydd fod y stori wedi'i chyflwyno fel chwedl a allai berthyn i unrhyw gyfnod mewn hanes fe ryddhawyd Meri Wells a Medi James a'u tîm o gynllunwyr dillad a minnau fel cynllunydd y set o hualau llythrennol hanesyddol.

Cynlluniais y set i adleisio adeiladwaith cyntefig o wiail a defnyddiais ddelwedd Eryr Pengwern ar dair baner fawr yn y cefndir. Byddai adleoli'r baneri'n fodd cynnil i gyfleu'r gyflafan ar ddiwedd y sioe.

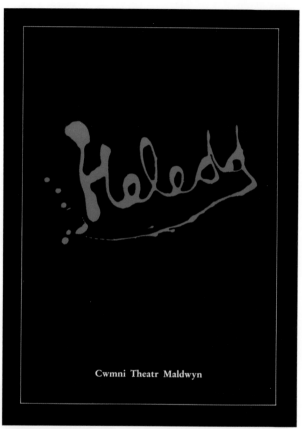

Clawr rhaglen 'Heledd'
Crëwyd y gair 'Heledd' drwy roi darn o bren mewn tun o baent coch a gadael iddo lifo i'r llawr. Bu ambell i ymgais cyn cyrraedd at y fersiwn a welir yma.

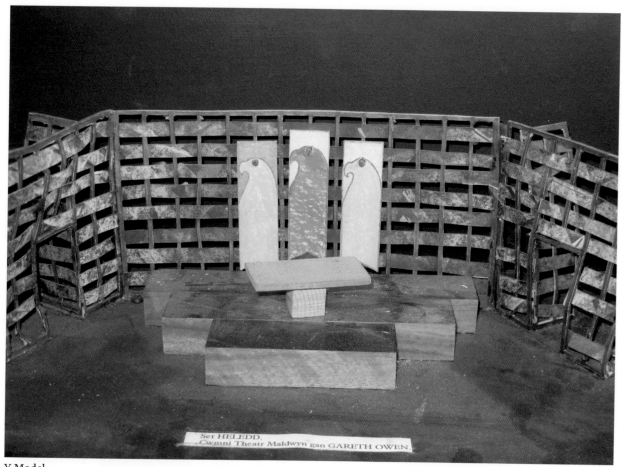

Y Model

Model o set Heledd yn arddangos yr adeiladwaith
plethog. Roeddwn yn mwynhau cyflwyno model o'r
set oherwydd yn ôl Derec roedd yn rhoi arwydd i'r
cast fod pawb o ddifrif.

Pengwern
Y tair baner gyda ffurfiau Eryr Pengwern arnynt yn cyfleu mawredd ac urddas y llys.

Y Gyflafan
Llwyddwyd i greu'r gyflafan ar y diwedd gyda golau ac adleoli'r baneri.

Golygfa 1

Golygfa 2

Er Mwyn Yfory

Rhyfel y Degwm oedd cyd-destun *Er Mwyn Yfory* yn Eisteddfod Genedlaethol Meirion a'r Cyffiniau 1997. Penderfynais ddefnyddio panorama o fynydd yr Arenig yn gefnlen gan fod y stori wedi'i lleoli yn ardal Llangwm. Peintiais ddarlun enfawr o'r Arenig ar baneli 8x4 troedfedd gan adael gwagle rhyngddynt i wneud defnydd unwaith eto o allu'r llygad dynol i ddarllen dilyniant y ddelwedd ar draws gwagle.

Cymhlethdod arall oedd fod y paneli wedi'u gosod ar risiau yng nghefn y llwyfan ac roedd yn rhaid ystyried hyn wrth leoli'r paneli ar gyfer peintio'r tirlun. Roedd cynhyrchu model yn gyntaf yn angenrheidiol i sicrhau fod y dilyniant yn gweithio.

Clawr rhaglen 'Er Mwyn Yfory'

Arenig
Golygfa gyda'r Arenig yn y cefndir

Y model

Peintio'r set

Wrth beintio roedd yn rhaid cofio bod y set ar risiau i sicrhau dilyniant rhwng y paneli.

Manylyn o'r set

Roedd hefyd yn bwysig fod arddull y peintio'n fras ac yn amrwd i sicrhau bod y ddelwedd yn gweithio o bellafion pafiliwn yr Eisteddfod.

La Venice Verte 2009

Venice Vert

Taith trwy fy llyfr braslunio

Un o'r pethau cyntaf y byddaf yn ei bacio cyn mynd ar fy ngwyliau yw fy llyfr braslunio. Mae gennyf nifer ohonynt erbyn hyn sydd yn cofnodi fy ngwyliau dros y blynyddoedd. Mae'r mwyafrif o'r lluniadau o Ffrainc ond ceir hefyd rai o'r Eidal, Groeg, Creta a'r America. Maent yn gyfrwng bendigedig i ddod ag atgofion yn ôl, a byddaf wrth fy modd yn bodio drwyddynt yn nyfnder gaeaf.

Mae cofnodi mangre arbennig yn dod â'r presennol yn fyw, a'r weithred o edrych yn fanwl a chanolbwyntio ar yr hyn a welwch o'ch blaen yn brofiad sy'n ymylu ar yr ysbrydol. Mae'r profiad yn atgoffa rhywun o'r cysyniad Hindŵaidd *mindfulness*, sef bod yn ymwybodol a gwerthfawrogi'r presennol.

Wrth luniadu allan yn yr awyr agored yn Ffrainc mae rhywun yn ymwybodol iawn o fod yn rhan o draddodiad. Nid fy mod am unrhyw funud yn cymharu fy hun ag athrylith artistiaid argraffiadol Ffrainc ar droad y ganrif diwethaf. Ond mae rhyw apêl mewn ardaloedd lle bu'r artistiaid hyn wrth eu gwaith. Cofiaf pan oeddwn i lawr yn ardal Provence yn ne Ffrainc i mi'n ddiarwybod i mi fy hun ddefnyddio'r union liwiau a ddefnyddiodd Paul Cézanne. Dro arall, mynd ar daith gerdded yn dilyn ôl traed Paul Gauguin, gan oedi i luniadu'r union lecynnau lle bu Gauguin ei hun yn creu ei gampweithiau.

Mae agwedd pobol Ffrainc yn gyffredinol yn wahanol i agwedd y Cymry. Gartref, os gwêl rhywun artist ar ochr y llwybr, y duedd yw myned o'r tu arall heibio heb brin ei gydnabod. Yn Ffrainc nid oes unrhyw swildod, yn wir mae yna ddiddordeb byw, a pheth digon cyffredin yw cael rhywun yn edrych dros eich ysgwydd gyda chyfarchiad megis *'très bien'*.

Wrth fodio drwy fy llyfrau braslunio, mae pob lluniad yn dod ag atgofion personol yn ôl i mi, ond mae fy netholiad o luniadau wedi'u dewis oherwydd fod ganddynt apêl fwy cyffredinol, y delweddau hynny sy'n dangos dylanwad artistiaid enwog neu sy'n fy atgoffa o ddigwyddiad arbennig. Gallant amrywio o weld Môr y Canoldir am tro cyntaf i ganlyniad Refferendwm yr Alban pan oeddwn yn Ffrainc.

Rwy'n amau fod gennyf reswm arall dros gadw llyfr braslunio ar fy ngwyliau: er bod prif lif fy nghynnyrch creadigol yn gysyniadol ei naws, rwy'n dal i gredu bod y weithred o gofnodi a dehongli'r hyn a wêl y llygad yn parhau i fod yn ymarferiad gwerthfawr i bob math o artistiaid. Dyma'r math o luniau hefyd y byddai llawer o'm ffrindiau a'm cydnabod yn eu galw yn lluniau 'go iawn'.

Roedd artistiaid Ffrainc yn ymwybodol iawn o heulwen a chysgod, yn enwedig yr argraffiadwyr. Roedd yr argraffiadwyr yn weithredol yn Ffrainc ar droad y ganrif diwethaf, ac ymhlith yr enwocaf ohonynt roedd artistiaid megis Renoir a Monet. Roeddynt yn ymwybodol iawn o'r golau ddeuai drwy'r dail gan dorri'r llun i fyny.

Nid damwain a hap oedd y ffaith fod arddull yr argraffiadwyr wedi cychwyn yn Ffrainc. Un o nodweddion amlycaf Argraffiadaeth oedd yr arferiad o weithio yn yr awyr agored, *'en plein air'*, ac roedd yr hinsawdd Ffrengig yn ddelfrydol ar gyfer hynny.

Drwy beintio golygfeydd yn uniongyrchol yn yr awyr agored daethant i sylweddoli fod yr olygfa'n newid o funud i funud. Dyna pam y datblygodd eu harddull rydd i geisio cynrychioli'r foment cyn i bethau newid.

Arweiniodd natur gyfnewidiol y byd o'u cwmpas artistiaid fel Claude Monet i ddarlunio'r un olygfa nifer fawr o weithiau o dan amgylchiadau gwahanol, megis amser o'r dydd, tymhorau, neu dywydd.

Eglwys Angles yn y Vandée
Dyma'r llun cyntaf yn fy llyfr braslunio. Gwnes y llun hwn yn 1984, dros chwarter canrif yn ôl. Roeddwn newydd gael carafán ac wedi penderfynu mynd drosodd i Ffrainc gyda dau deulu arall (Dewi ac Olwen Rhys a Viv a Gwyn Hopcyn Williams). Rwy'n cofio cyrraedd y gwersyll yn Angles a chael rhwydd hynt i ddewis ein safle. Nid oeddem yn credu ein lwc; er bod y gwersyll yn gyfforddus lawn roedd darn heulog braf yn y canol yn hollol wag, a dyma 'nelu yn syth amdano. Erbyn ganol dydd roeddem i gyd yn chwys domen yn sefyll yn rhes mewn rhyw droedfedd o gysgod yn ymyl gwrych uchel. Tybiais i mi weld y Ffrancwyr yn rhyw grechwenu arnom. Roedd y dywediad 'Mad dogs and Englishmen out in the midday sun' neu yn y cyswllt yma 'Welshmen' yn dod i'r meddwl. Fe welwch fod yr haul yn uchel iawn yn yr awyr yn y llun hwn ac mae'r cysgod cryf a chul sy'n rhedeg gyda'r wal yn dystiolaeth o hynny. Mae Ffrainc yn wlad heulog a dyna pam fod cysgod yn beth mor werthfawr a bendithiol.

Dyddiau da yn Ffrainc
Dathliad priodas ruddem Nonna a minnau yn Ffrainc yn 2010 gyda Dewi ac Olwen Rhys a Viv a Gwyn Hopcyn Williams.

94

Golau ac Amser

Bidart, Biarritz
Dyma enghraifft o fangre arbennig ar wahanol amserau o'r dydd.

Château Le Petit Trianon
Dyma fynedfa i Château Le Petit Trianon ger Ingrandes yng nghanol Ffrainc. Mae'r lluniad hwn yn cyfleu'r gwrthgyferbyniad a geir gyda chysgod a golau yn Ffrainc yng nghanol haf. Mae'r golau ar y tirlun drwy'r fynedfa'n creu effaith debyg i weld delwedd mewn sinema.

Tŷ yng nghyffiniau Niort
Yn y lluniad hwn mae golau'r haul yn dod drwy'r dail gan greu patrwm ar y llawr ac adleisio gwaith yr argraffiadwyr wrth iddynt greu effeithiau o olau yn dod drwy'r dail.

Château Le Petit Trianon yn y nos.
Mae'r gwrthgyferbyniad rhwng golau a chysgod yma'n cael ei greu drwy ddull artiffisial. Mae'r Ffrancwyr yn hoff o oleuo'u hadeiladau. Hoffai Siôn mab Viv a Gwyn Hopcyn Williams fynd allan bob nos i sefyll rhwng y llifoleuadau a'r tŷ gan daflu cysgod anferth ohono'i hun ar y wal.

Grawnwin yn Montblanc

Mae'r lluniad agos hwn o winwydden yn dangos ymdriniaeth ychydig yn wahanol o gysgod. Mae'r rhelyw o'm lluniadau'n darlunio ehangder y tirlun ond mae modd cyfleu natur lle drwy gofnodi manylder. Crëwyd y cysgod glas drwy greu amlinell o amgylch cysgod y gwinwydd a ddisgynnai ar fy llyfr braslunio ar yr union amser yr union ddiwrnod yn Montblanc yn 1994. Mae hyn eto yn nhraddodiad yr argraffiadwyr o gofnodi'r foment yn yr awyr agored – y foment honno na ddaw fyth yn ôl. O'r funud y mae rhywun yn cofnodi rhywbeth, boed yn lluniad neu'n ffotograff, mae amser yn symud yn ei flaen ac mae'r syniad yma o rewi amser wedi fy niddori erioed. Fe gofiaf unwaith weld arddangosfa yn Oriel y Cambria yng Nghonwy o waith artistiaid fu'n gweithio ym Metws-y-coed yn ystod y bedwaredd ganrif ar bymtheg. Yno roedd dyfrlliw gan Henry Clarence Whaite ac ôl dafnau glaw arno a ddisgynnodd ym Metws-y-coed yn ôl yn y bedwaredd ganrif ar bymtheg. Roedd fel petai amser wedi rhewi.

Dilyn Ôl Traed Artistiaid

Ger Fréjus 1

Mae ambell i ardal yn Ffrainc sydd wedi'i hanfarwoli gan artistiaid. Ardal o'r fath yw Provence yn Ne Ffrainc. Mi fûm innau'n lluniadu yn ardal Provence ac yn ddiarwybod bron fe efelychais liwiau Paul Cézanne, y coed pin gwyrdd tywyll yn tyfu allan o'r pridd coch.

Pouldu

Traeth Pouldu

Rwyf yn mwynhau ymweld â threfi a phentrefi sydd wedi'u hanfarwoli gan y ffaith fod artist neu artistiaid enwog wedi bod yn byw ac yn gweithio yno.

Ardal o'r fath yw Pont Aven. Yno y bu'r artist Paul Gauguin yn byw am gyfnod. Ym mhentref Pouldu heb fod nepell o Pont Aven gellir yn llythrennol ddilyn troed yr artist Gauguin. Paratowyd taith gerdded ac ar y daith nodir y mannau lle bu Gauguin yn peintio gydag atgynyrchiadau o'i beintiadau.

Mwynheais luniadu'r union olygfeydd y bu Gauguin yn eu peintio gan efelychu ei liwiau a'i arddulliau'n fwriadol.

Parc yn Amsterdam
Lluniad a wnes wedi gweld arddangosfa canmlwyddiant Van Gogh yn Amsterdam yn 1990. Mae arddull y lluniad yn ymgais i adleisio arddull y meistr.

Sitges 2
Wedi gweld gwaith Picasso yn Barcelona.

Ffermdy ger Spoleto
Mae'r lluniad hwn yn fy atgoffa o weld ffrescoau Giotto yn Assisi, Pieta a Moses Michelangelo a nenfwd Capel y Sistine yn Rhufain 1993.

Fan
Lluniad a wnes mewn gwersyll yn Versailles wedi gweld arddangosfa o waith yr argraffiadwyr ym Mharis.

Cofio Achlysuron

La Romieu

Elfen arall sydd yn fy symbylu i luniadu yn fy llyfr braslunio yw gwneud llun i gofio achlysur arbennig. Er enghraifft, pan ymwelais â phentref La Romieu yn 2008, cawsom y newyddion fod Alun Ffred Jones wedi'i wneud yn Weinidog Treftadaeth. Roedd hyn yn golygu llawer i mi oherwydd fe dreuliodd Alun Ffred flwyddyn yn byw gyda'm tad a'm mam er mwyn gorffen ei addysg yn Ysgol y Berwyn pan symudodd ei dad a'i fam (y Parch a Mrs Gerallt Jones) o Lanuwchllyn i fyw yn y de. Meddyliais lawer, beth fyddai ei dad a'i fam, a'm tad a'm mam innau o ran hynny, yn ei ddweud pe baent yn gwybod fod Alun Ffred yn Weinidog Treftadaeth. I'w cenhedlaeth hwy 'doedd senedd yng Nghaerdydd yn ddim ond breuddwyd gwrach. Mi weithiais englyn i'w longyfarch a'i ddanfon o Ffrainc.

Heno ym mysg y gwinwydd, fe welir
    Y gofalwr newydd,
    Y gŵr sy'n gwarchod y gwŷdd
    Yn harddwch yr hwyrddydd.

Mesurallt

Pan oeddwn yn aros yn Meursault ger Beaune, cawsom neges fod R. O. Williams y Bala wedi ennill cadair Eisteddfod Bro Dinefwr 1996. Roedd Meursault yn digwydd bod yn ardal nodweddiadol Ffrengig, yn llawn gwinllannoedd. Danfonais yr englyn hwn o Ffrainc i'w longyfarch.

"C'est bon," da yw dy ddoniau, y newydd
    Ddaeth drwy'r gwinwydd gynnau,
    Yn yr heulwen ar wyliau,
    Llawn o win rwy'n llawenhau.

Mesurallt 2

Musée Picasso Antibes

Roeddwn yn Antibes yn ne Ffrainc ar ddiwrnod refferendwm yr Alban (Gorffennaf 19, 2014) pan bleidleisiodd 55% Na a 45% Ie. Fe ddefnyddiais drwydded artistig i osod baner yr Alban ar ben twr Amgueddfa Picasso. Ar y ddalen gyferbyn yn fy llyfr braslunio ysgrifennais y sylw: 'Llongyfarchiadau i ymgyrch 'IE' yr Alban ar ganlyniad y refferendwm yn wyneb gwrthwynebiad o du'r sefydliad Prydeinig, Llywodraeth San Steffan, y lluoedd arfog, sefydliadau busnes a bancio, y wasg Seisnig, sefydliadau addysgol tawedog a gwledydd ôl-drefedigaethol megis Sbaen.' Mae lliwiau brown cynnes y lluniad yn adleisio'r arwyddion a geir ar ochr y traffyrdd yn Ffrainc i ddynodi nodweddion ardaloedd.

Glas y Dorlan

Mae'r lluniad hwn yn dynodi'r unig dro imi weld glas y dorlan ac roedd hynny yn St Ustre yn 2000 yng nghanol Ffrainc. Bûm yn ôl i'r fangre hon yn 2008 yn y gobaith o'i weld eto, ond gwaetha'r modd, ofer fu hynny.

Môr Canoldir

Dyma ddarlun digon disylw o dwyni tywod a môr ond i mi mae'n fy atgoffa o'r tro cyntaf i mi weld Môr y Canoldir. Mae rhyw ramant yn perthyn i Fôr y Canoldir i mi ers yr amser pan oeddwn yn edrych ar fordeithiau Paul ar fap yng nghefn y Beibl yn yr ysgol Sul ers talwm.

Blodyn Haul
Darluniais y blodyn haul i gofio pen-blwydd Esyllt Rhys, merch Dewi ac Olwen Rhys, oedd yn ddeunaw oed. Dyma enghraifft arall o edrych ar fanylder a'r manylder rywsut yn cyfleu teimlad y lle. (Bourg-Saint-Andéol)

Ardaloedd Arbennig

Ysgubor yn Normandi
Mae rhai ardaloedd yn annog dyn i dynnu allan ei lyfr braslunio oherwydd natur unigryw'r tirwedd - ac un o'r ardaloedd hynny yw Normandi. Mae Normandi'n rhan ddiddorol iawn o Ffrainc ond mae tuedd i rywun fynd drwy'r lle i chwilio am yr haul yn nhiroedd y de. Y troeon rwyf wedi aros yno, yr hyn sydd wedi dal fy llygad yw pensaernïaeth werinol yr adeiladau fferm. Yn nhref Rouen yn Normandi y mae'r eglwys gadeiriol a anfarwolodd Monet. Ond mae yna eglwys arall yno â chynllun newydd a modern iddi sydd wedi'i chysegru i Jeanne d'Arc. Yr hyn sydd yn ddiddorol am hon yw mai nid yr eglwys gadeiriol fawr a symbylodd y pensaer ond yn hytrach yr adeiladau fferm dirodres a frithai'r cefn gwlad o amgylch Rouen.

Tŷ fferm ger Moyaux

Bénodet
*Y gwrthgyferbyniad rhwng yr hen a'r newydd a ddenodd fy
llygad yma. Yr hen long yn y blaendir a'r bont newydd fodern yn
y cefndir: Pont Abraham.*

Mydylau gwair yng Ngwlad y Basg
*Gallai'r afonig hon fod ym mhen Dyffryn Conwy hanner can
mlynedd yn ôl gyda'r mydylau gwair yn y cefndir.*

Mynydd y Rhun
*Copa mynydd La Rhune ar y ffin rhwng Sbaen a Ffrainc.
Darluniais y llun hwn i gofio taith Prys y mab a minnau i'w
gopa. Nid yw'n syniad da dringo mynydd ganol dydd yn ne
Ffrainc. Yr unig gof sydd gennyf yw ei bod yn gythreulig o boeth.
Nid oeddem wedi dysgu dim ers y dyddiau cynnar hynny yn
Angles.*

Coulon

Mont Blanc

Cerdyn post o wlad yw'r Swistir. Mae deunydd llun ym mhob man. Dyma wlad y mynyddoedd uchel, a chefais fy nghyfareddu gan y ffurfiau a'r llinellau ar dop y byd gyda mynydd Mont Blanc yn y cefndir.

Giswil

Gwelir golygfeydd arbennig yn y boreau gyda'r niwl yn codi o'r dyffrynnoedd a chopaon y mynyddoedd yn yr haul. Wedi i'r niwl godi mae'r awyr yn glir a phob man yn olau gyda'r mynyddoedd gwyn yn erbyn yr awyr las.

Leysin

Mae'r mynyddoedd mor syfrdanol o uchel a serth nes bod rhywun weithiau'n agored i gael ei gyhuddo o or-ddweud yn ei luniau. Anodd yw credu fod y darlun yma'n llythrennol gywir.

103

Llyn Thun

Bum yn gwrando ar Dr Angharad Price yn traddodi darlith ar T. H. Parry-Williams. Cyfeiriodd at y ffaith iddo fyw yn y Swistir am gyfnod. Yn ddiweddarach sylweddolais fod gennyf ddau luniad yn fy llyfr braslunio yn adleisio i'r dim rai o linellau ei soned enwog 'Llyn y Gadair'.

'... heb ddim ond bad
Pysgotwr unig, sydd yn chwipio'r dŵr
A rhwyfo plwc yn awr ac yn y man ...'

'Dim byd ond mawnog a'i boncyffion brau.'

Tybed a blannwyd hadau'r soned 'Llyn y Gadair' tra roedd T. H. Parry-Williams yn byw yn y Swistir?

Llyn Annecy

Mae gennyf ryw sylw ysgafn yn ymyl y llun, 'Dewi Rhys yn chwilio am Moses ymysg yr hesg'.

Eglwysbach

Wedi'r holl deithio, does unman yn debyg i gartref – bore oer ar garreg fy nrws yn Eglwysbach

Llyn Walensee

'Pysgotwr unig sydd yn chwipio'r dŵr'.

Pam Fod Mannau Arbennig yn Symbylu ?

Mycenae

Bu'r cwestiwn, beth sy'n achosi i artist oedi wrth weld golygfa arbennig a phenderfynu bod deunydd llun yno, o ddiddordeb i mi erioed. Deuthum i'r casgliad mai ystyriaethau haniaethol, yn ychwanegol at berthynas emosiynol â lle, sy'n bennaf gyfrifol, waeth faint mor naturiolaidd fanwl y bwriedir cofnodi'r olygfa. Ffactorau megis blociau o ffurfiau lled amlwg, ardaloedd o weadau, elfennau patrymog, cysgod, golau a chyferbyniad mewn tonyddiaeth.

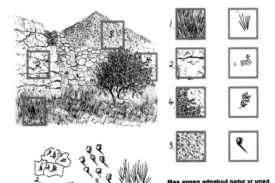

Mae angen adnabod natur yr uned sy'n rhan a adeiladwaith y gwead.

Blociau o ffurfiau

Dadansoddi gweadau
Mae'r trawsieithu'r hyn mae'r llygaid yn ei weld i luniad yn fater o adnabod patrwm a ffurfiau mewn gweadau cymleth.

Techneg
Adnabod natur yr uned sydd yn rhan o adeiladwaith y gwead.

Fy Nhaith Gelfyddydol

Mae fy ngweithgaredd creadigol yn digwydd mewn cylchoedd o ddwy i bedair blynedd. Mae rhan gyntaf y cylch yn cynnwys llawer o fyfyrio ar draul gwaith ymarferol. Rwy'n ystyried y cyfnod hwn o fyfyrio yn bwysig iawn fel y gwna'r Prifardd Alan Llwyd yn ei lyfr *Creu Englynion*. Dyma'r cyfnod lle mae rhywun yn ystyried rationale y prosiect sydd ar y gweill. Mae'r pum cyfnod myfyriol diwethaf wedi esgor ar bedwar testun – 'Gair a llun', 'Cysgod y Capel', 'Tri yn Un', 'Llanuwchllyn' ac 'Engluniau'. Wrth edrych yn ôl mae un llinyn yn rhedeg drwyddynt, sef fy nghefndir diwylliannol Cymreig.

Yn 'Gair a llun', y berthynas rhwng gair a delwedd oedd prif thema'r gwaith. Yn 'Cysgod y Capel', dylanwad fy magwraeth anghydffurfiol Gymreig sy'n dod i'r wyneb wrth gwestiynu a herio confensiynau a datgan safbwyntiau crefyddol a chymdeithasol sy'n deillio o'r fagwraeth honno. Mae 'Tri yn Un' yn ymdrin â materion mwy amwys, megis treigl amser, traddodiad ac ymateb i farddoniaeth. Roedd y prosiect 'Llanuwchllyn' yn delio â dylanwad fy magwraeth a'm cyfnod ffurfiannol. Cyfuno englynion a delweddau oedd cynnwys fy arddangosfa 'Engluniau'.

Gair a Llun

Mae'n debyg mai ar droad y ganrif y dechreuais sianelu peth o'm hegni creadigol i gyfeiriad celf bersonol. Cyn hynny, roeddwn yn canolbwyntio ar faterion addysgol ac yn ystyried hynny'n orchwyl creadigol ynddo'i hun. Dechreuais weld dydd fy ymddeoliad ar y gorwel a chyfle i ganolbwyntio ar fy ngwaith fy hun.

O edrych yn ôl, mae'r prosiect 'Gair a Llun' yn fan cychwyn i lawer iawn o nodweddion a ddatblygwyd ymhellach mewn prosiectau diweddarach. Roedd yr elfen gysyniadol yno o'r dechrau, a'r ffaith mai syniad oedd y catalydd i greu delwedd. Mae'r cyd-chwarae rhwng gair a llun, y chwarae ar eiriau, yr ymwybyddiaeth o dreigl amser, digwyddiad fel symbyliad i greu delwedd a dylanwad barddoniaeth a drama yn amlwg.

(Teitl gwreiddiol y prosiect hwn oedd 'Engluniau' ond gan mai 'Engluniau' yw teitl fy mhrosiect diweddaraf, cyfeiriaf ato yn y gyfrol fel 'Gair a Llun'.)

Chwarae ar Eiriau
Mae'r chwarae ar eiriau yn y delweddau canlynol yn gysylltiedig â chysyniadau arbennig.

Gwyrth
Hawdd iawn yw newid y gair 'gwyrdd' i 'gwyrth'. Mae tuedd weithiau i feddwl am wyrth fel digwyddiad mawr anghyffredin. Onid gwyrth yw un glaswelltyn?

Awel / awen

*Hawdd iawn yw newid y gair 'awel' i 'awen'. Mae'r dail sy'n
disgyn yn cynrychioli'r awen ac mae'r cwestiwn 'o ble daw
syniadau?' wedi fy niddori erioed.*

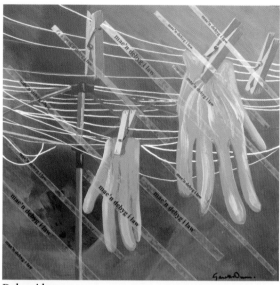

Debyg i law

*Mae'r ddelwedd hon yn ymdrin yn chwareus â'r dywediad –
'mae'n debyg i law' ac mae'r geiriau'n croesi'n ailadroddus
dros y llun i efelychu glaw.*

Aberth

*Hawdd iawn yw newid y gair 'aberth' i 'Y berth'. Gwelaf yr
arferiad o ddefnyddio pren i arbed coed fel metaffor o aberth.*

Teilio

Ymdriniaeth chwareus a'r gair 'teilio'.

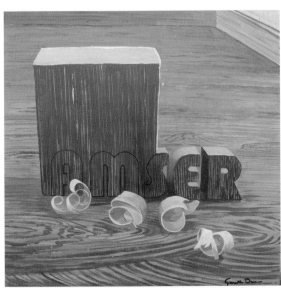

Gwneud Amser
Ymdriniaeth chwareus ar y term 'gwneud amser'

Ar lawr fy stydi
gorwedd shafins amser
yn dyst
o'r gwneud,
ond yn y gornel bellaf
mae coed marw
nad yw'r saer
wedi eu cyffwrdd
eto

Hiraeth
Mae 'hiraeth' yn emosiwn y dylid bod yn wyliadwrus ohono:
ar ei waethaf gall fod yn ddinistriol iawn a golygu nad yw
rhywun yn byw yn y presennol.

Prin y teimlaf
gusanau coch y machlud
ar fy ngruddiau,
aroglau brown y gwymon
yn fy nhrwyn,
a goglais melyn y tywod
dan fy nhraed,
gan wyrdd yr hiraeth
yn fy mhen.

Dylanwad Barddoniaeth

Gwinllan

*Cyfeirir at Gymru yn aml fel 'Gwinllan'. Mae'n siŵr mai'r
cyfeiriad enwocaf yw emyn Lewis Valentine:
'Dros Gymru'n gwlad, o Dad, dyrchafwn gri,
Y winllan wen a roed i'n gofal ni.'*

Treigl Amser

Ddoe heddiw yfory

*Mae'r wal yn cynrychioli'r presennol a'r delweddau yn y ffenest
yn cynrychioli'r gorffennol.*

Digwyddiadau

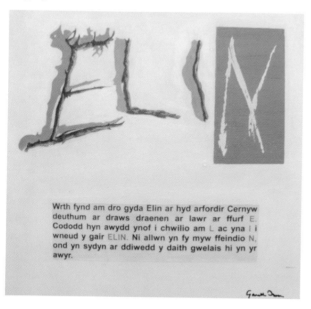

Wrth fynd am dro gyda Elin ar hyd arfordir Cernyw deuthum ar draws draenen ar lawr ar ffurf E. Cododd hyn awydd ynof i chwilio am L ac yna I i wneud y gair ELIN. Ni allwn yn fy myw ffeindio N, ond yn sydyn ar ddiwedd y daith gwelais hi yn yr awyr.

Elin

Wrth fynd am dro gydag Elin ar hyd arfordir Cernyw deuthum ar draws draenen ar lawr ar ffurf E. Cododd hyn yr awydd ynof i chwilio am L ac yna I ac N i wneud y gair ELIN. Ni allwn yn fy myw ffeindio N ond yn sydyn ar ddiwedd y daith, gwelais hi yn yr awyr.

Gwleidyddol

Gwrych

Peth cymdeithasol iawn yw torri gwrych. Mae'n orchwyl anodd iawn i'w chyflawni oherwydd y sgyrsiau sy'n rhaid eu cynnal gyda'r rhai aiff heibio. Detholiad o'r sylwadau gafwyd ar un diwrnod arbennig yw'r geiriau yn y gwrych.

Cysyniadau

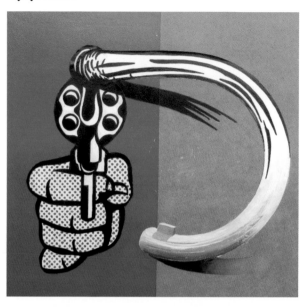

Cylch trais
Addasiad o ddelwedd enwog Roy Lichtenstein. Mae'r gwn graffigol cartwnaidd yn graddol droi i gynrychioli realaeth.

Heddwch / Rhyfel
Mae cael rhyddid ac amser i dorri fy lawnt yn arwydd i mi fy mod yn byw mewn gwlad heddychlon.

Boddai sŵn
fy mheiriant torri gwair
synau'r bomiau
yn nhalar fy meddwl.
mor lwcus wyf
yn niwylliant fy lawnt
ymhell o fieri
Iraq

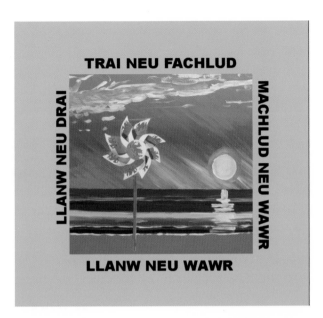

Llanw neu Drai

Mae'r ddelwedd hon yn gofyn cwestiynau. Mae'r felin wynt yn cynrychioli breuder ein diwylliant ac mae lliw coch glas a gwyn y môr yn arwyddocaol.

Big Bale

Rwy'n ceisio bod yn wyliadwrus nad wyf yn ymateb yn chwyrn i bethau newydd. Mae'r byd celf yn llawn enghreifftiau o artistiaid yn cael eu gwawdio yn ystod eu hoes ond eu gwaith yn dyfod yn dderbyniol ymhen amser.

Peintiodd Monet
ei deisi gwair yng ngolau'r wawr
gyda llygad yfory
i watwar llygaid eraill ei ddydd
ond rhamant a hiraeth
erbyn hyn
 a'u gosododd
ar focsys siocled
a chardiau cyfarch.

Ni wêl llygaid heddiw
harddwch mewn 'big bales'.
ond yfory
bydd lliwiau'r machlud
ar eu düwch tyn
yn harddu
bocsys siocled
a chardiau cyfarch.

Arddangosfa
Arddangosfa Cysgod y Capel

'Cysgod y Capel'

Mae 'cysgod y capel' wedi bod arnaf erioed ac yn sicr mae llawer o'r gwerthoedd rwy'n eu harddel yn tarddu o'm magwraeth Gristnogol. Wedi dweud hynny, ni fu gennyf erioed ffydd gadarn yn yr ystyr draddodiadol – roedd fy mhen yn rhy llawn o gwestiynau i hynny. Mae fy nhaith ysbrydol wedi bod yn droellog ac anodd ar brydiau, ond deuthum ar draws ambell i arwyddbost nodedig.

Cofiaf unwaith mewn sgwrs â'r Tad Richard o Awstralia (ddaeth yn gyfeillgar â Haf ar ei phererindod i Lourdes) i mi fynegi fy amheuon ynglŷn ag agweddau o'r ffydd Gristnogol a chael fy syfrdanu gan ei ymateb. 'Galli fyw tu fewn i gwestiwn,' meddai. Mae'r sylw hwn wedi bod yn gysur a chynhaliaeth i mi fyth ers hynny.

Dro arall, fe soniais wrtho am y tro y bu'n rhaid i mi roi cyngor i aelodau ifanc oedd ar fin cael eu derbyn. Dywedais fel y bu i mi ddefnyddio baton ras gyfnewid i gyfleu'r syniad o drosglwyddo traddodiad. Fe dybiwn fod hyn yn syniad eithaf clyfar ar y pryd ond ymateb y Tad Richard oedd

Cwestiwn

cymryd, allan o'i boced, gas sbectol a ymdebygai i faton ras gyfnewid, a thynnu sbectol allan ohono. 'Ti'n gweld,' meddai, 'mae'n rhaid i bob cenhedlaeth ddehongli'r gwirionedd yn ôl ei gweledigaeth eu hun.' Fe esgorodd y sylw hwn ar ddelwedd hefyd. (Gweler 'Traddodiad' isod.)

Traddodiad

Bûm erioed yn mwynhau trafodaeth a mynychu'r amrywiol ysgolion Sul dros y blynyddoedd ond mae tuedd i'r cyfan ddatblygu'n rhyw fath o ymarferiad deallusol; cael rhyw fath o bleser rhyfedd mewn rhesymu. Caf yr un pleser o ddarllen llyfrau diwinyddol gan wybodusion ac athronwyr ond deuthum yn gynyddol i deimlo fod mwy i'r busnes crefydd 'ma na gallu deallusol. Deuthum i weld harddwch yn y traddodiad anghydffurfiol wedi ei seilio ar ffydd yn hytrach na deallusrwydd esoterig. Cofiaf yn dda y cyfnod pan ddaeth Ysgol Sul yr oedolion i ben yn Eglwysbach. Yn ddiweddarach penderfynwyd sefydlu cylch trafod yng nghanol yr wythnos fel ymateb i golli'r Ysgol Sul. Ar ôl ychydig o gyfarfodydd fe sylwais nad oedd William Williams, un o'm cyd-flaenoriaid, yn mynychu'r 'Gorlan' mwyach. Pan soniais wrtho nad oeddwn wedi ei weld yn ddiweddar yn y Gorlan, ei ymateb oedd, 'Naddo, fachgen, dwi'n cael fy nrysu wy'sti.'

Roedd William Williams yn hollol hapus gyda'i ffydd fel yr oedd ac roeddwn yn ei barchu am hynny. Pwy oeddwn i i geisio'i ddarbwyllo'n wahanol? Efallai fy mod wedi cyfrannu at y dryswch drwy ryw ymresymiad deallusol (cyfyngedig) oedd yn taflu amheuaeth ar ryw gred draddodiadol.

Ceisiaf fod yn effro ac yn agored i adnabod rhyw wirionedd y gallaf uniaethu ag o, ac nid o'r pulpud y daw hynny bob tro. Un o'r ffynonellau hynny oedd llythyr dychmygol ar ddiwedd y nofel *The Love Song of Miss Queenie Hennessy* gan Rachel Joyce. Mae'r llythyr yn crynhoi fy safbwynt ar hyn o bryd i'r dim, ond nid oes dim yn derfynol. Dyma gyfieithiad o ran ohono:

'...Mae hyn i gyd wedi achosi i mi fyfyrio ymhellach ar natur fy nghred. Dyma'r casgliad rwyf wedi dod iddo; os y gweithiwn arno, mae bob amser yn bosibl canfod eglurhad o'r hyn nad ydym yn ei ddeall. Ond efallai ei bod hi'n ddoethach nawr ac yn y man derbyn nad ydym yn deall a'i adael yn y fan honno. Mae egluro weithiau'n bychanu. A beth ydyw o bwys os wyf i yn credu un peth a chi'n credu rhywbeth arall? Rydym yn rhannu yr un diwedd.'

Cysgod y Capel
(Fy nghyflwyniad i arddangosfa 'Cysgod y Capel' – Galeri Caernarfon 2007)

Fe blannwyd hedyn y syniad ar gyfer yr arddangosfa yn ôl yn Eisteddfod Genedlaethol Eryri a'r Cyffiniau 2005 mewn sesiwn a gynhaliodd Iwan Bala yn Galeri lle cyfeiriodd at y Safle Celf fel festri. Gwnaeth hyn i mi adolygu fy ngwaith fy hun a dod i sylweddoli bod llawer o'm gwaith yn seiliedig ar fy nghefndir personol, cefndir y 'Pethe' ac anghydffurfiaeth Gymreig.

Mae Cymreictod yn golygu rhywbeth gwahanol i bawb, ond i mi dyna beth yw Cymreictod: yr iaith Gymraeg, yr eisteddfod, barddoniaeth, gwleidyddiaeth heddychol a diwylliannol gyda 'chysgod y capel' dros y cwbwl.

Nid yw celf weledol wedi arddel na dathlu llawer ar y diwylliant hwn sydd o fewn cof rhai ohonom ac a oedd yn sicr yn ei anterth genhedlaeth neu ddwy yn ôl. Mae llawer o artistiaid, a beirdd o ran hynny, yn cael eu symbylu gan ddiwylliant chwedlonol y Mabinogi ac yn ymdrin â materion yn ymwneud â chof cenedl. Yn bersonol caf hi yn anodd uniaethu â'r math yma o symbyliad; gwell gennyf ymwneud â chof a phrofiadau personol.

Nid oes yma ymgais i hiraethu'n sentimental am oes aur y 'Pethe', ond yn hytrach gydnabyddiaeth o'i dylanwad. Yn wir, hawdd iawn yw suddo i ryw gors hiraethus am y cyfnod hwn. Gobeithio bod y rhan fwyaf o'r delweddau'n trosglwyddo'r teimlad o obaith, adeni ac atgyfodiad. Ni ddaw cyfnod y 'Pethe' fyth yn ôl ar union yr un ffurf, ond mae gan ddyn ryw allu arbennig i'w ailddarganfod ei hun.

Rwy'n hoff iawn o gyflwyniad Myrddin ap Dafydd i'w gerdd 'Pen draw'r tir' lle mae'n dweud, 'Ar ddiwedd mileniwm, mae'n werth cofio bod rhywbeth newydd yn dechrau lle bo rhywbeth arall yn darfod.'

Atgyfodiad

Mae delweddau'r arddangosfa'n ymdrin â chwestiynau mawr bywyd megis ffydd, treigl amser, byrhoedledd, hunan-ewyllys a natur gyferbyniol y greadigaeth. Beth fyddai llawenydd heb dristwch, haf heb aeaf, esmwythder heb boen? O na byddai'n haf o hyd. Tybed?

Rwy'n teimlo hefyd fod yna berthynas agos rhwng gosodiad celf a'r theatr a pherfformio. Ni allaf weld unrhyw un yn dymuno prynu rhai o'r gweithiau, yn enwedig y gwaith tri dimensiwn; eu pwrpas yw cynnig profiad a bwyd i'r meddwl ac mae

iddynt natur fyrhoedlog iawn, tebyg iawn i set cynhyrchiad llwyfan.

Mae gennyf ddiddordeb hefyd mewn symbolaeth mewn perthynas â delweddau ac yn y gallu sydd gan ddyn i weld arwyddocâd symbolaidd i ddelweddau bob-dydd gan roi rhyw ddehongliad barddol iddynt sy'n seiliedig ar brofiad a'r dychymyg. Enghraifft o hyn yw'r ddau ddrws a welir yn yr arddangosfa. Ar un lefel dau ddrws ydynt, ond mae'r label 'Gad fi'n llonydd' yn crogi ar handlen un ohonynt, gan droi'r drws yn symbol o'r cyflwr dynol, ac nid oes raid ymhelaethu ar symbolaeth drws o fewn y ffydd Gristnogol.

Gad fi'n llonydd

Mae llawer o eitemau yn yr arddangosfa ar yr olwg gyntaf yn eitemau y disgwyliwn eu gweld mewn festri capel, ond trosiadau ydynt - y rhes pegiau lle mae dylanwadau wedi eu crogi arnynt, a'r cwpanau te hanner gwag a hanner llawn.

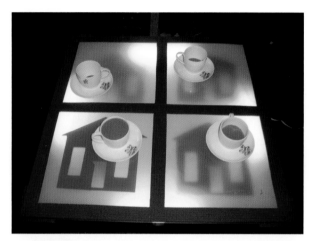

Bwrdd Coffi

Nid y gweledol sydd yn fy symbylu bob amser. Gall fod yn ddarn o farddoniaeth, pregeth neu sylw bachog: fy null o ymateb i'r pethau hyn sydd yn weledol.

Mae fy nghelf yn ymwneud â syniadau, a rhywbeth eilradd yw unrhyw dechneg neu grefft a berthyn iddi. Nid y gwneud sydd yn rhoi pleser i mi, dyna pam y defnyddiaf yn aml gyfuniad o ddefnyddiau parod yn y gwaith tri dimensiwn. Credaf y byddai treulio amser maith yn meithrin techneg neu grefft arbennig yn llyffetheirio'r broses greadigol o greu delweddau cysyniadol. Yn y gorffennol yn amlach na pheidio mae'r sawl gafodd y syniad a'r gwneuthurwr yn un ym mherson yr artist. Nid awdur y syniad yw'r person gorau i'w wireddu bob amser. Er enghraifft, cefais gymorth saer, gof a thrydanwr i wireddu rhai o'r gweithiau yn yr arddangosfa.

Os oes raid ei labelu, yna mae'n debyg y gellir ei galw'n gelf gysyniadol. Y gelf y mae gennyf ddiddordeb ynddi yw'r gelf sy'n cwestiynu, yn ogleisiol, yn rhoi bwyd i'r meddwl ac yn ymestyn ffiniau. Er hynny, rwy'n ymwybodol iawn o'm cynulleidfa ac yn gobeithio nad yw'r gwaith yn rhy ymestynnol nes colli cysylltiad â'r gynulleidfa honno. Fe gyfyd hyn y cwestiwn - pa mor ymwybodol o'i gynulleidfa ddylai artist fod?

Mae yna ryw ochr hunanol yn perthyn i bob creu. Mae'r artist wrth greu peintiad yn creu rhyw fath o amgylchfyd personol y mae ganddo ef neu hi reolaeth lwyr drosto. Mae'r teimlad yma, os rhywbeth, yn ddwysach pan fo'r arddangosfa ar ffurf gosodiad fel a geir yma. Gwahoddiad sydd yma i bobl eraill ddod i mewn i'm gwagle personol.

Codi'r galon
Daeth glöyn byw i mewn i'r capel yn ystod gwasanaeth y plant a disgyn ar y bwrdd tonau ac emynau.

Gweddi

Uffern Nefoedd

Emyn Tôn 3

Gareth Owen

Cyflwyniad Cysgod y Capel
Trefnwyd trafodaeth ar ffurf seiat yn agoriadau swyddogol Cysgod y Capel.
Yma rwy'n rhoi'r cwch yn y dŵr. (Llun Marian Delyth)

15 Gorffennaf - 2 Medi 2011

TRI YN UN
Gareth Owen
THREE IN ONE

15 July - 2 September 2011

Galeri 1

Tri yn Un

Agorwyd yr arddangosfa 'Tri yn Un' yng Nghanolfan y Morlan Aberystwyth gan Dr Brynley Roberts yn 2012 a hyfryd oedd gwrando ar berson arall yn ymateb ac yn dadansoddi fy ngwaith mewn ffordd mor ddeallus a gwerthfawrogol.

Dyma'i araith, sydd yn adlewyrchu naws yr arddangosfa i'r dim:

Dyma'r ail dro i Gareth Owen ddod ag arddangosfa o'i waith i'r Morlan. Fe gofiwn y cyffro a'r cwestiynu, y dehongli a'r trafod, a achosodd ei arddangosfa y tro cyntaf hwnnw; ac nid cyffro a thrafod yn unig, oherwydd fe gofiwn fel y bu i'r delweddau – digon amwys ar adegau – ddyfnhau ein dirnadaeth o'r ffydd a broffeswn, neu mewn achosion eraill, gadarnhau rhyw ymdeimlad a alwn yn ymdeimlad ysbrydol nad oedd modd inni ei adnabod yn iawn na chael geiriau i'w fynegi. Cysgod y Capel, cysgod magwraeth grefyddol gymunedol, oedd ar yr arddangosfa honno.
Y mae 'Tri yn Un' yn wahanol. Nid yw'n benodol grefyddol; myfyrdod estynedig personol ar nifer o themâu sydd yma. Wrth grwydro'r arddangosfa, y rhai sydd amlycaf, i mi o leiaf, yw'r holi ynghylch amser a grym cofio, yr emosiynau sy'n codi o ambell ddigwyddiad, a'r profiadau newydd a ddaw o atgofio. Y mae geiriau'n annigonol i gyfleu hyn yn iawn a dim ond trwy dynnu at ei gilydd eiriau – barddoniaeth yn arbennig – a delweddau a symbolau, a chydblethu'r cyfan y gellir dechrau mynegi'r profiadau hyn ac i ninnau ddechrau rhannu ynddynt. Rhaid inni gynnig ein dehongliad ein hunain o'r delweddau cymysg hyn – darluniau realaidd, delweddau haniaethol, gwrthrychau cyfarwydd (garddio yn arbennig), geiriau

a cherddi a modelau. Y mae cwestiynau'n codi'n anorfod: pam y fath bwyslais ar y fainc? Ai llonyddwch wrth atgofio a myfyrio a syllu? Ai ceisio tawelwch beth bynnag fo'r olygfa? Ai diben y sied yw caniatáu inni sefyll o'r tu allan inni ein hunain ac edrych arnom ein hunain a'n gwaith, yr ardd yr ydym yn ei chreu? Beth yw arwyddocâd y bont a'r dŵr sy'n dal i lifo sydd mewn cynifer o ddarluniau? Beth sy'n cysylltu doe a heddiw, a beth sy'n parhau o'n gorffennol a'n heddiw i'n hyfory; beth yw traddodiad a diwylliant? Ai gwisgoedd benthyg i'w cyflwyno i'r to nesaf gael eu gwisgo yn eu dydd a'u hoes eu hunain? Y mae cysgodion yn anorfod, ond arwydd ydynt fod amser yn treiglo, fod bywyd yn symud. Fel y dywed un grŵp o luniau, yr ydym yn byw y tu mewn i gwestiwn.
Y mae celfyddyd yn un. Y mae llawer dull a modd yn cydblethu i fynegi profiad. Y mae darluniau'n troi'n eiriau, a geiriau a delweddau'n creu drama sy'n fetaffor. Dyna'r 'Tri yn Un' sy'n ymgais i fynegi'r myfyrdod – yr arddangosfa ei hun, propiau'r ddrama (yn fainc gardd, coed ffa dringo, pâl a fforc) sy'n rhan o'r arddangosfa, a'r ddrama fer, symbolaidd, 'Y Rhandir', sy'n crynhoi llawer o'r themâu. Perfformiwyd y ddrama yn rhan o agoriad yr arddangosfa ac mae'n drueni nad yw ar gael ar fideo i'w gweld yn barhaol gan ymwelwyr gan ei bod yn cyfoethogi profiad yr arddangosfa. Ond hyd yn oed heb ei gweld mae mwy na digon yma i gyffroi'r dychymyg, ac i'n gwahodd i ymateb i'r darluniau a'r delweddau – gadael iddynt hwy ein holi fel petai, a ninnau, bob un, yn cael oedi, ystyried, a chynnig ei ateb ei hun i'w gwestiynu.

Bu'r broses o ysgrifennu'r ddrama ('Y Rhandir') yn un ddiddorol iawn. Mae'n debyg mai fy nelweddau gweledol oedd y man cychwyn ac yna fy syniad o osodiad. Fe ellir dadlau bod pethau wedi digwydd o chwith i'r arferol. Fel yr oedd fy syniadau am y gosodiad yn datblygu daeth i ymdebygu'n fwyfwy i set drama a dyna sut y plannwyd yr hadyn o gyfansoddi drama ar ei chyfer. Nid yn aml y ceir y set yn dod gyntaf a'r ddrama wedyn.

Gosodiad

Esblygodd y syniad o arddangosfa gyda thair rhan iddi yn raddol, yn enwedig pan ddechreuodd y tair elfen, gwaith unigol, gosodiad a drama, ddylanwadu ar ei gilydd, gan ryngblethu a chymryd arnynt nodweddion ei gilydd. Er enghraifft, roedd y tair rhan yn delio â themâu megis ffawd, ffydd, traddodiad, amser a dylanwadau. Roedd arwyddocâd symbolaidd yn rhedeg drwy'r gweithiau, er enghraifft, mainc yn symbol o goffáu, cysgodion y dail yn symbol o ddylanwadau a gardd yn awgrymu encilio a chylch bywyd.

Mae drama'n gyfrwng addas iawn i ymdrin â materion yn ymwneud ag amser, ac er mai fy ngwaith gweledol oedd y symbyliad cyntaf i ysgrifennu drama, dechreuodd y ddrama yn ei thro ddylanwadu ar fy ngwaith gweledol. Daeth y syniad o driptych (tri llun) sy'n adleisio'r tair act yn y ddrama i gyfleu amser yn elfen gref yn y gwaith. Daeth y tair rhan o'r arddangosfa i fwydo'i gilydd ac yn gylch hunangynhaliol creadigol.

Traddodiad yn cryfhau

Mae'r rhai sy'n poeni byth a beunydd am gyflwr pob agwedd o'u diwylliant yn ymwybodol iawn o'u diwylliant. Mae'r ddelwedd hon yn ymgais i gyfleu'r cysyniad hwn. Mae'r darn sy'n sefyll allan yn cynrychioli diwylliant gwan ond erbyn y drydedd ddelwedd mae wedi cryfhau ac yn rhan naturiol o'r cefndir.

Rwy'n genfigennus o rywun sydd yn y sefyllfa o fod yn rhan o ddiwylliant mor gryf fel nad ydynt yn ymwybodol ohono. Gwaetha'r modd, nid yw'r Cymry sy'n poeni byth a beunydd am gyflwr eu hiaith a'u diwylliant yn y fath sefyllfa. Mae'r pryderon hyn yn deillio o'r ffaith fod ganddynt y gallu i edrych ar gyflwr eu diwylliant o'r tu allan ac i asesu unrhyw fygythiad yn nhermau'r darlun mawr.

Manylyn o'r sied

Delweddau a Ddylanwadodd ar y Ddrama

Deryn Du
Dyma ddelwedd sydd wedi'i symbylu gan linell o'r ddrama 'Y Rhandir'. Mae tair rhan yn cyfleu treigl amser gan fod y cysgodion yn newid gyda symudiad yr haul.

Dyfyniad o ddrama 'Y Rhandir':
'Does dim byd mwy yn dod â dyn at ei goed na threulio min nos yng nghwmni deryn du yn chwilio am bry genwair a thalpiau o bridd yn taflu cysgodion hir dros y rhandir.'

Lliain Diwylliant

Mynydd

Mae cerddi Euros Bowen wedi apelio ataf erioed. Mae llawer ohonynt yn weledol iawn. Mae'r ddelwedd hon wedi'i selio ar ei gerdd 'Arenig'. Ynddi mae'n cyfeirio at y ffaith ei fod yn cymryd y mynydd yn ganiataol oherwydd ei fod mor gyfarwydd ag o.

Ffyn

Mae'r ddelwedd hon yn seiliedig ar olygfa yn nrama 'Y Rhandir'.
Mae'n delio â'r cysyniad o ddymchwel, adeiladu a threigl amser.

Dyfyniad o ddrama 'Y Rhandir':
'Does ddim isio i ti gael gwared o ddim byd os nad oes
gennyt ti rhywbeth i gymryd ei le.'

Tu mewn i gwestiwn

Mainc

Llanuwchllyn yn y Bae

Gosodais y cerflun o flaen adeilad y Cynulliad yng Nghaerdydd. Mae'n siŵr mai dyma'r ddelwedd fwyaf ymwybodol wleidyddol o'm heiddo hyd yma. Gwelais hon fel gweithred ychydig yn herfeiddiol. Mae gan bob unigolyn ei resymau dros gefnogi sefydlu'r Cynulliad yng Nghaerdydd ond i mi yr ardaloedd naturiol Gymreig yw'r cyfiawnhad mwyaf dros ei fodolaeth. Fe wawriodd arnaf yn ddiweddarach y gallwn yn yr oes ddigidol hon fod wedi creu'r ddelwedd drwy gopïo a phastio'r cerflun ar y llun, ond wedi dweud hynny, roedd y weithred gorfforol o osod y cerflun o flaen y Cynulliad yn rhoi rhyw arwyddocâd ychwanegol iddo.

Llanuwchllyn

Prif thema fy ngwaith yw'r diwylliant Cymreig yn ei holl agweddau ac mae'r ffaith i mi gael fy magu mewn pentref Cymraeg ei iaith, sef Llanuwchllyn, wedi dylanwadu'n gryf arnaf. LLANUWCHLLYN yw teitl y prosiect. Ar yr olwg gyntaf mae'r teitl yn ymddangos yn benodol iawn ond mae'n ymdrin â materion mwy cyffredinol megis brogarwch, hiraeth, alltudiaeth, atgofion, ac ymateb i farddoniaeth.

Mae natur gysyniadol i'r delweddau ac fe gawsant eu creu gyda chymorth cyfrifiadur. Mae natur amhersonol y gwaith sy'n ymwrthod â thechneg ac arddull yn gwbwl fwriadol er mwyn galluogi'r gwyliwr i werthfawrogi'n uniongyrchol y syniad y tu ôl i'r delweddau.

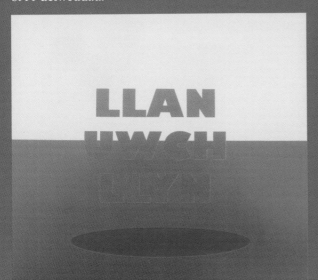

Llanuwchllyn
Parodi ar faner y ddraig goch; mae'n pwysleisio elfen ddisgrifiadol yr enw ac yn ffurfio delwedd graffigol ddiddorol.

Mae'r gair LLANUWCHLLYN ei hun yn apelio ataf. Yn gyntaf mae'n ddisgrifiadol iawn Y – LLAN – UWCH – BEN – Y – LLYN. Mae iddo hefyd ryw dinc cynganeddol.

Mae'n enw arbennig i'w siantio wrth gefnogi'r tîm pêl-droed yn Nghae Prys erstalwm: LLAN-UWCH-LLYN! Mae'r gair LLANUWCHLLYN yn weledol ddiddorol oherwydd trefn y llythrennau o fewn y gair ac yn cynnig ei hun i greu delweddau graffigol diddorol.

Rwy'n meddwl weithiau, pa mor wrthrychol allaf i fod wrth feddwl am y lle arbennig hwn LLANUWCHLLYN?

Mae ymchwil a wnaethpwyd gan yr Ymddiriedolaeth Genedlaethol yn dangos mai'r lleoedd lle y tyfom i fyny yw'r rhai sydd fwyaf arbennig i bobl yng Nghymru ac o'r herwydd rwyf am ddibynnu ar ymatebion pobl eraill i'r lle. Dyma ddywed Syr O.M. Edwards am LANUWCHLLYN.

'Mae i LANUWCHLLYN air ym mysg y plwyfydd fel magwrle arweinwyr ymhob da. Pan nad oedd gan athrylith Cymru well gwaith i'w wneud na chanu gyda'r delyn, yr oedd y cantorion gorau yn Llanuwchllyn. Pan ymysgwydodd y wlad yn neffroad y diwygiad i astudio diwinyddiaeth, yn Llanuwchllyn oedd y diwinyddion gorau ... Ac wedi hyn, pan drodd y Cymry'n ôl at yr awen, wedi puro eu meddyliau wrth ymdrin â diwinyddiaeth, yr oedd Cymreigyddion Llanuwchllyn yr enwocaf rai.'

Golygfa nad wyf byth yn blino arni, er ei bod mor gyfarwydd, yw'r olygfa o'r ddwy Aran - y Benllyn a'r Fawddwy - dros Lyn Tegid. Roedd y llecyn hwn yn un o hoff lecynnau fy nhad hefyd, ac fe luniodd gerdd lle mae'n defnyddio'r llyn fel cyfrwng i fynegi hiraeth o golli fy mam.

Llyn Tegid

At Lyn y chwedlau pell
y deuthum i.

Cartrefais yn ei swyn
a gweld a welodd
Tudur o Gaer Gai
A phrofi "Ewyllys Da"
'r hen Rowland gynt,
a gweld
dros ei ddyfroedd llyfn
y 'Mynydd' welodd
Euros hwyrddydd Haf

Ei weld yng nghwmni un
a'i donnau yn anfarwol las.

Ger ei fron y cwsg

Ac nid af innau mwy
Ymhell
o atgo serch
ei ddyfroedd ef.

Ifor Owen

Llyn Tegid
Yn y darlun hwn o Lyn Tegid rwyf wedi cynnwys delwedd o fainc sy'n ddelwedd rwyf wedi ei defnyddio'n aml yn fy ngwaith i gynrychioli hiraeth a chofio. Gwelir hefyd dusw o flodau ar y fainc sy'n adleisio'r arferiad o adael tusw o flodau ar feinciau fel coffâd.

Pe bawn yn bagan
Delwedd a symbylwyd gan sylw gan O. M. Edwards – 'Pe bawn yn bagan, yr Aran fyddwn yn ei addoli'. Ffenest syml o gapel anghydffurfiol yn y nos gyda ffurf ddu yr Aran yn y cefndir

Gwinllan

Er cof am fy nhad

Mae gennyf gyfres o ddarluniau wedi eu seilio ar y cysyniad o'r 'cof' ac 'atgofion'.

Mae cefnau fframiau lluniau a welir yn aml ar silffoedd ffenestri tai bob amser wedi ennyn rhyw chwilfrydedd ynof. Byddaf bob amser yn dyfalu tybed beth sydd yn y fframiau. Gwelaf hwynt yn debyg iawn i atgofion sydd yn bethau personol iawn hyd nes y penderfynir eu rhannu â rhywun arall.

Mae'r ddelwedd hon yn rhan o gyfres am atgofion, ac rwyf wedi gosod gwaith fy nhad yn y fframiau sydd yn cael eu hadlewyrchu mewn drych.

Er cof am fy mam

Atgof am fy mam yw'r llun hwn, gyda'r dreser yn y cefndir a rhan ohoni wedi ei hystumio gan wydr crwn. Gyda llaw, ffenestri'r Gwyndy, rhan o Neuadd Wen, yw'r rhain, sef y tŷ a gododd O. M. Edwards iddo'i hun yn Llanuwchllyn.

Trosglwyddo atgofion

Atgofion yn cael eu trosglwyddo o genhedlaeth i genhedlaeth.

Hiraeth

Mae hiraeth yn emosiwn hollol briodol ar adegau, wrth gwrs, ond mae'n emosiwn y mae'n rhaid bod yn ofalus ohono. Rhaid bod yn wyliadwrus nad yw rhywun yn byw'n ormodol yn y gorffennol. Dyma ddelwedd sydd yn ymdrin â 'Hiraeth'. Yma gwelir person mewn lle ac amser ond mae ei feddwl yn rhywle arall.
Dyma enghraifft arall o fy hoffter o natur weledol geiriau. Yma gwneir defnydd o'r ffaith fod y llythyren H ar ddechrau a diwedd y gair 'HIRAETH'. Mae hyn yn creu corneli diddorol i'r ffrâm.

Wyt Rufain y pentrefi

Yn Oes Aur dy benseiri – ail Eidal
   Wledig y Dadeni,
   Rhaid oedd dy wobrwyo di,
   Wyt Rufain y pentrefi.

Alan Llwyd

Wyt Rufain

*Rwy'n hoff iawn o englyn Alan Llwyd yn cyfarch Llanuwchllyn
pan enillodd y pentref gystadleuaeth 'Bwrlwm Bro' yn Eisteddfod
Genedlaethol Bro Myrddin 1974 fel y pentref mwyaf diwylliedig
yng Nghymru. Mae natur glasurol y cerflun yn adleisio llinell olaf
yr englyn – 'Wyt Rufain y Pentrefi'. Mae rhan uchaf y cerflun yn
pwysleisio natur weledol gryf y gair LLANUWCHLLYN. Rwy'n
ymwybodol iawn oherwydd fy obsesiwn gyda bro fy mebyd a'r
'Pethe' fy mod yn gosod fy hun yn agored i feirniadaeth sy'n gofyn
y cwestiwn - pam nad wyt yn byw yno 'te? Fel llawer ohonom nid
oes gennyf ateb, dim ond dweud, 'amgylchiadau'. Rwy'n perthyn i
fintai gynyddol o bobol, oherwydd natur symudol cymdeithas
erbyn hyn, sy'n byw'n drefol ond yn parhau i uniaethu, yn
rhamantaidd ar adegau efallai, â bröydd eu mebyd. Mae yna
elfen gref o edrych o'r tu allan ar bethau, tra mae trigolion y
bröydd hyn yn mynd ymlaen yn naturiol â'u bywyd bob dydd.
Mae'r ddelwedd hon yn cyfleu'r syniad o edrych o'r tu allan ar
LANUWCHLLYN.*

Gwahoddiad

*Cefais gyfle ar ddiwedd 2015 i gynnal yr arddangosfa
'Llanuwchllyn yn y Bae' yn adeilad y Cynulliad ei hun.*

Un deg naw y cant

Dangosodd y cyfrifiad fod pethau'n bell o fod yn ddelfrydol, a daeth y ddelwedd hon yn ystod y flwyddyn lle gwelwyd dirywiad yn nifer y bobl oedd yn siarad Cymraeg. Dangosodd yr ystadegau mai dim ond 19% sydd yn siarad Cymraeg bellach. Mae'r label ar y botel yn cynnwys map o Gymru wedi ei wneud o rawnwin ac yn adleisio'r ffaith y cyfeirir at Gymru'n aml fel gwinllan. Mae'r gwydr gwin yn 19% y cant llawn neu wag yn dibynnu ar eich natur optimistaidd neu besimistaidd, ac mae 19% wedi'i ysgrifennu mewn gwin.

Cymru Rydd

Does dim amheuaeth fod pethau wedi symud ymlaen ers y chwedegau. Mae lleisiau a barn leiafrifol y chwedegau erbyn hyn wedi cael eu derbyn ac yn rhan o brif ffrwd meddylfryd y mwyafrif. Er enghraifft, mae twf anhygoel mewn addysg Gymraeg, mae arwyddion dwyieithog yn rhan naturiol o'n hamgylchfyd, ac mae S4C wedi hen sefydlu.
Mae'r ddelwedd hon o'r bobol barchus gyda sandwich boards yn ceisio cyfleu'r ffordd y gall syniadau lleiafrifol dros gyfnod o amser ddod yn syniadaeth sy'n dderbyniol i'r mwyafrif. Ystyriwn fod pobl sy'n cerdded o gwmpas gyda neges ar sandwich board ychydig bach ar gyrion cymdeithas. Mae'r cymeriad ym mlaen y llun wedi sylweddoli o'r diwedd nad yw'n un o'r mwyafrif mwyach.

Gosodiad Llanuwchllyn
*Datblygodd y syniad o gysylltu arwyddion ffordd â delweddau
a darnau o farddoniaeth yn osodiad.*

'Os bydd un ar ôl am deall drwy eiriadur'

Gosodiad 2 Manylyn
'Mae'n werth troi'n alltud ambell dro'

Gosodiad 3 Manylyn
'Rhodio lle gynt y rhedwn'

Alwyn

Ann

Anny

Arthur

Arwel

Bethan

Bryn

Carwyn

Cathy

Dafydd

Dei

Derec

CYMDEITHAS DDIWYLLIANNOL LLANUWCHLLYN IONAWR 2014

Dyfir
Elin
Emyr
Gwenfair
Gwyneth
Hedd
Jean
Mai
Mair
Rhian
Richard
Sian

CYMDEITHAS DDIWYLLIANNOL LLANUWCHLLYN IONAWR 2014

Portreadau 2

Fel rhan o arddangosfa 'Llanuwchllyn' roedd yn fwriad gennyf i greu gosodiad o rai o bersonoliaethau Llanuwchllyn. Yn y cyfamser bûm yn gweld arddangosfa gan yr artist Peter Blake (a ddaeth i enwogrwydd pan gynlluniodd clawr record y Beatles). Roedd ei arddangosfa yn Amgueddfa Genedlaethol Cymru ar Dan y Wenallt Dylan Thomas. Cefais fy nghyfareddu a'm hysbrydoli gan ei osodiad o bortreadau cymeriadau Dan y Wenallt. Dyma a'm symbylodd i fynd ati i greu gosodiad o rai o gymeriadau Llanuwchllyn. Serch hynny mae yna wahaniaethau mawr rhwng gosodiad Peter Blake a fy un i. Mae cymeriadau Dylan Thomas a phortread Peter Blake ohonynt yn rhai oesol a dychmygol tra mae fy rhai i yn gymeriadau cig a gwaed go iawn sy'n perthyn i amser a lle arbennig. Ond roedd gen i broblem: Pwy i'w bortreadu? Wedi'r cwbwl, mae poblogaeth Llanuwchllyn oddeutu 800, a rhaid oedd dewis rhai o'u mysg. Cefais syniad. Pan gefais wahoddiad i gynnal noson yng Nghymdeithas Ddiwylliannol Llanuwchllyn daliais ar y cyfle i wneud record ffotograffig o bawb oedd yn bresennol. Golygai hyn fod gennyf reswm digonol dros eu cynnwys yn y gosodiad. Hefyd roedd y syniad o gofnodi amser a lle arbennig yn nodwedd bwysig yn y gwaith. Rwyf bob amser yn ymwybodol o dreigl amser, yn enwedig pan fydd rhywun yn tynnu llun gyda chamera neu'n cofnodi rhywbeth drwy luniadu.

Gwisg Diwylliant

Mae gennyf gariad at bopeth Cymreig a'r ffordd Gymreig o fyw ond mae'r ddelwedd hon, 'Gwisg Diwylliant', yn fodd i mi osod fy hoffter angerddol o Gymru mewn cyd-destun ac yn fy atgoffa mai gwisg yw'r cyfan. Symbylwyd y ddelwedd hon gan rhan gyntaf soned Gwenallt, 'Pechod'. 'Pe tynnwn oddi arnaf bob rhyw wisg.' Mae angen, wrth gwrs, edrych ar ôl eich dillad gorau, ond gan gofio ar yr un pryd fod o dan y wisg ryw ddynoliaeth gynhenid sy'n perthyn i holl bobloedd y ddaear beth bynnag fo'u cefndiroedd a'u traddodiadau. Diffyg crebwyll y ffaith hon mi gredaf sy'n gyfrifol am gyflwr truenus ein byd heddiw.

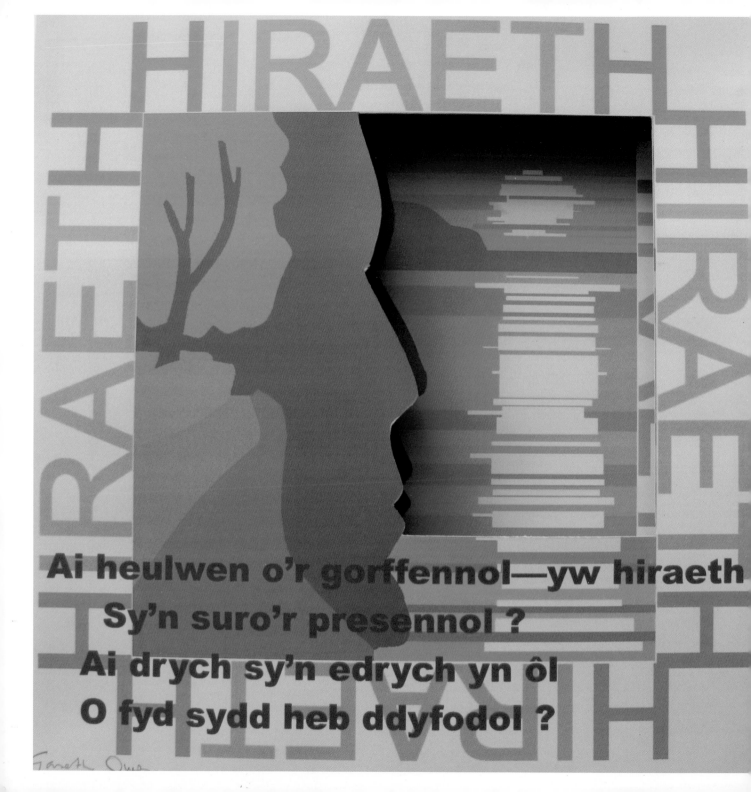

Ai heulwen o'r gorffennol—yw hiraeth
Sy'n suro'r presennol ?
Ai drych sy'n edrych yn ôl
O fyd sydd heb ddyfodol ?

Engluniau

Ym mhrosiect 'Llanuwchllyn', oherwydd fy hoffter o weithio englynion, dechreuais gyfuno delweddau ag englynion. Cafodd llawer o'm delweddau yn y gorffennol eu symbylu gan farddoniaeth pobol eraill ond dyma'r tro cyntaf i mi ddefnyddio fy marddoniaeth fy hun. Rydym wedi hen arfer â beirdd yn ymateb i ddelweddau ac artistiaid yn ymateb i farddoniaeth ond peth eithaf prin yw dod ar draws delweddau gweledol a barddoniaeth gan yr un awdur.

Datblygais yr agwedd hon ymhellach yn y prosiect diweddaraf 'Engluniau'. Roedd nifer o resymau dros hyn. Mae llawer iawn o'm henglynion yn weledol iawn o ran eu natur ac yn addas iawn i'w cyfuno â delweddau. Rwy'n gallu uniaethu fy null o weithio gyda beirdd erioed oherwydd mae barddoniaeth yn ddieithriad bron yn mynegi cysyniad, ac yn cynnwys symbolau neu drosiadau – ffactorau sydd ddim bob amser yn bresennol mewn celf weledol. Sylweddolaf hefyd mai gan y gymdeithas ddiwylliannol Gymreig (cymdeithas y 'Pethe') y caf yr ymateb gorau i'm gwaith. Roeddwn yn ymwybodol iawn o'r gynulleidfa hon wrth fyfyrio ar y prosiect 'Engluniau'. Er fy awydd i geisio gwthio ffiniau, rwy'n wyliadwrus nad wyf yn mynd i eithafion rhag colli cyswllt â'r gynulleidfa hon.

Penderfynais barhau â'r arddull amhersonol gyda chymorth cyfrifiadur ond gan gyflwyno elfen newydd dri dimensiwn lle mae dyfnder argraffyddol dau ddimensiwn yn cyd-chwarae â dyfnder ffisegol go iawn. Mae'n briodol hefyd, gan mai cyfres o englynion ar gefndir gweledol sydd yma, mai collage papur yw'r cyfrwng. Arweiniodd hyn at fathu'r gair 'Engluniau' fel teitl i'r prosiect.

Mae'r broses o greu'r 'engluniau' yn amrywio. Weithiau yr englyn sydd yn dod gyntaf, dro arall y ddelwedd. Gellir hefyd eu categoreiddio i wahanol adrannau megis englynion coffa, gwleidyddol, crefyddol, celfyddydol a chysyniadol.

Hiraeth

Englynion Coffa

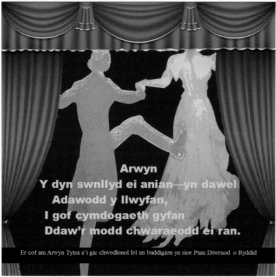

Arwyn
Er cof am Arwyn T'isa, cyfaill annwyl, a'i gic chwedlonol yn nawns y bonedd yn Pum Diwrnod o Ryddid.

David Glyn Edwards
Er cof am David Glyn Edwards (cyn orsaf-feistr y Bala).

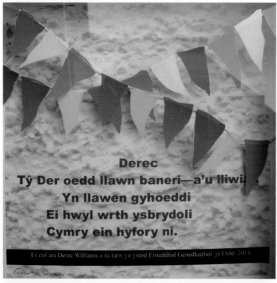

Der
Er cof am Derec Williams, cyfaill annwyl, a fu farw yn ystod wythnos Eisteddfod Genedlaethol yr Urdd 2014.

Wncwl Ivor
Er cof am Wncl Ivor fu farw yn y Rhyfel Mawr.

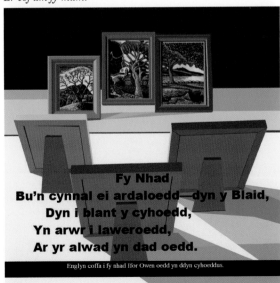

Mam

Er cof am fy mam.

Du a gwyn 1

Dad

Er cof am fy nhad oedd yn ddyn cyhoeddus iawn.

Du a gwyn 2

Englynion Crefyddol

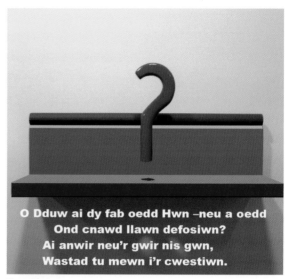

Pentref y Pentrefi

Y fan 'roes im sylfeini - ni allaf
A phallu'th glodfori,
Wyt bentref y pentrefi,
A'th iaith, fy ngwleidyddiaeth i.

Pentref y Pentrefi

O Dduw ai dy fab oedd Hwn –neu a oedd
Ond cnawd llawn defosiwn?
Ai anwir neu'r gwir nis gwn,
Wastad tu mewn i'r cwestiwn.

Cwestiwn

Tryweryn

Roedd giât wen yng Nghwm Celyn cyn ei foddi ac arferai beirdd ysgrifennu llinell o gynghanedd arni gan ddisgwyl i fardd arall ddod heibio i'w hateb.

Crist y Saer Grefftwr
Hwn garodd geinciau geirwon– Hwn brynodd
Hen geubrennau gweigion
Gan wybod, bod yn y bôn
Enaid yng ngwreiddiau dynion.

Crist y Saer Grefftwr